C000137223

Paul Valéry

« Mon Faust »

Gallimard

« *Mon Faust* »

(ÉBAUCHES)

AU LECTEUR

DE BONNE FOI ET DE MAUVAISE VOLONTÉ

Le personnage de *Faust* et celui de son affreux compère ont droit à toutes les réincarnations.

L'acte du génie de les cueillir à l'état fantoche dans la légende ou à la foire, et de les porter, comme par l'effet de sa température propre, au plus haut point d'existence poétique, semblerait devoir interdire à jamais à tout autre entrepreneur de fictions de les ressaisir par leurs noms et de les contraindre à se mouvoir et à se manifester dans de nouvelles combinaisons d'événements et de paroles.

Mais rien ne démontre plus sûrement la puissance d'un créateur que l'infidélité ou l'insoumission de sa créature. Plus il l'a faite vivante, plus il l'a faite libre. Même sa rébellion exalte son auteur : Dieu le sait...

Le créateur de ces deux-ci, *Faust* et l'*Autre*, les a engendrés tels qu'ils devinssent après lui des instruments de l'esprit universel : ils débordent de ce qu'ils furent dans son œuvre. Il leur a donné des « emplois », bien mieux que des rôles; il les a voués à jamais à l'expression de certains extrêmes de l'humain et de l'inhumain; et, par là, déliés de toute aventure particulière. J'ai donc osé m'en servir.

Tant de choses ont changé dans ce monde, depuis cent ans, que l'on pouvait se laisser séduire à l'idée de plonger dans notre espace, si différent de celui des premiers lustres du XIXe siècle, les deux fameux protagonistes du *Faust* de Goethe.

Or, un certain jour de 1940, je me suis surpris me parlant à deux voix et me suis laissé aller à écrire ce qui venait. J'ai donc ébauché très vivement, et — je l'avoue — sans plan, sans souci d'actions ni de dimensions, les actes que voici de deux pièces très différentes, si ce sont là des pièces. Dans une arrière-pensée, je me trouvais vaguement le dessein d'un IIIe Faust qui pourrait comprendre un nombre indéterminé d'ouvrages plus ou moins faits pour le théâtre : drames, comédies, tragédies, féeries selon l'occasion : vers ou prose, selon l'humeur, productions parallèles, indépendantes, mais qui, je le savais, n'existeraient jamais... Mais c'est ainsi que de scène en scène, d'acte en acte, se sont composés ces trois quarts de *Lust* et ces deux tiers du *Solitaire* qui sont réunis dans ce volume.

P. V.

LUST

LA DEMOISELLE DE CRISTAL

Comédie

ACTE PREMIER

Le cabinet de travail de Faust.

SCÈNE PREMIÈRE

FAUST, LUST *(en train de rire aux éclats
au lever du rideau)*

FAUST

Assez, Lust! Finissez-en! Ici l'on ne rit pas!
(Elle s'arrête de rire.) Si vous saviez ce que c'est
que le rire! *(Elle rit de plus belle.)* Assez, vous dis-
je... Assez! C'est insupportable. Ou bien allez rire
au jardin...

LUST

Pardon, Maître...

FAUST

Et de quoi riez-vous?

LUST

Mais... Ce fut une idée.

FAUST

Quelle idée?

LUST *(reprise de fou rire)*

U...ne...i...dée... *(Elle cesse de rire.)* Tenez, vous
avez vu? Une idée... Je ne saurais vous l'exprimer... D'abord, ce n'est pas tout à fait une idée, je
crois; et puis je sens que le rire me reprendrait si je
revenais à cette chose de l'esprit qui me chatouille
aussitôt toute la bête... Ne croyez pas que j'aime
ceci, le rire... Cela fait un mal!...

FAUST

Et moi, cela m'ennuie, et je perds mon temps à
attendre que votre charge de puissance naïve
s'épuise.

LUST

Pardon, Maître... C'est un peu votre faute. Je
sais trop ce que c'est que le rire. Vous avez dicté,
l'autre jour, que le rire est un refus de penser, et
que l'âme se débarrasse d'une image qui lui semble
impossible ou inférieure à la dignité de sa fonc-
tion... comme... l'estomac se débarrasse de ce dont il
ne veut pas garder la responsabilité, et par le même
procédé d'une convulsion grossière.

FAUST

Eh bien, n'est-il pas vrai? Et n'est-il pas très
remarquable que l'âme et l'estomac aient mêmem-
ment recours à la force brutale pour... repousser...

LUST

Oui, mais le rire est moins répugnant.

FAUST

Ceci dépend du rieur... Mais votre idée?

LUST

Pardon, Maître... Il est arrivé que j'ai repensé tout à l'heure, et tout à coup, à votre belle définition... Je ne sais ce que vous avez dit qui m'y a fait repenser; et voilà que revenant aux mots : convulsion grossière, je ne sais quoi a voulu que je rie, et c'en était fait!... Inutile de résister. D'autant plus que je me disais à chaque pause : convulsion grossière, convulsion grossière... Voilà pour le Maître : il observe une convulsion grossière!... C'est bête, c'est bête! Et je re-riais!

FAUST

Eh bien, riez, riez! *(Elle rit.)* Mais ce n'est pas mal, en tant que convulsion grossière... Vous montrez de bien blanches dents, Mademoiselle, et ce renversement bellement agité et désordonné de votre cou qui se dégage pourrait bien propager un de ces refus de penser qui mènent fort loin... Prenez garde de rire devant le premier venu.

LUST

Mais on dit que le rire désarme...

FAUST

Mais on ne dit pas qu'il est désarmé.

LUST

Pardon, Maître, encore pardon. Je ne le ferai plus.

FAUST

J'en suis certain comme vous-même. Bon. Êtes-vous disposée à m'accorder un peu de travail? Bien. Nous reprenons ce que je vous ai dicté hier.

LUST

Les Mémoires, ou le Traité?

FAUST

Je vous ai expliqué, hier encore, que j'en faisais un seul et même ouvrage.

LUST

Je n'avais pas compris. Votre esprit s'emporte parfois si vivement et si haut que...

FAUST

Vous n'êtes pas ici pour comprendre, mon enfant. Vous y êtes pour écrire sous ma dictée, me relire ce que je vous ai dicté, et en outre, en outre, pour n'être pas désagréable à regarder sans réflexion. Vous comprenez?

LUST

Puisque je ne suis pas ici pour comprendre...

FAUST

Comprenez ce que je vous dis, et ne vous mêlez pas de comprendre ce que je vous dicte. C'est clair? Ou faut-il vous expliquer ceci : je vous dicte ce que je pense. Pendant que je pense, pendant que j'attends ma pensée... ou quelque mot plus heureux que le plus heureux déjà venu, il convient que mes yeux s'occupent sur un objet particulièrement favorable, auquel ils se prennent, et dont ils s'amusent innocemment, comme la main distraite flatte et caresse, au lointain de l'esprit, quelque chose, un bibelot, un ivoire familier...

LUST

C'est moi qui suis flattée, Maître, de jouer ce rôle honorable et modeste de l'objet particulièrement favorable au discret adoucissement de la machine de vos pensées... Mais, pour la main distraite, ne croyez-vous pas qu'une belle chatte bien douce, bien tiède, serait vraiment plus agréable à caresser qu'un ivoire, qui est chose dure et froide?

FAUST

Une chatte? Douce, tiède! L'idée n'est pas absurde! N'en abusez pas... Mais travaillons, allons!... Il faut d'abord que je vous redise l'économie de mon projet, pour que vous ne fassiez plus d'erreur sur l'ordre des morceaux. Saisissez bien mon dessein général : je puis écrire mes Mémoires... Je puis, d'autre part, composer maint traité sur maint sujet. Mais c'est là ce que je ne veux pas faire, et qu'il m'ennuierait de faire. Et puis, je trouve que c'est une manière de falsification que de séparer la pensée, même la plus abstraite, de la vie, même la plus...

LUST

Vivante?

FAUST

Disons la plus vécue... Donc, j'ai résolu d'insérer purement et simplement, comme elles me vinrent, mes observations, mes spéculations, mes thèses, mes idées, dans le récit assez merveilleux de ce qui m'est advenu, et de mes rapports avec les hommes et les choses...

LUST

Rien qu'avec les hommes?

FAUST

Et les femmes, sans doute.

LUST

Rien que les hommes et les femmes?

FAUST

Et quelques très hauts personnages, ou de très bas, qui ne sont ni hommes ni femmes.

LUST

Je comprends... J'ai entendu dire que toutes les personnes superlatives n'étaient d'aucun sexe, ou de tous les deux.

FAUST

Allons, relisez donc le commencement.

LUST *(elle prend un cahier et lit)*

« Traité de l'Aristie. L'Aristie est l'art de la supériorité... »

FAUST

Mais non!... L'Aristie ne doit venir qu'au dixième ou onzième chapitre...

LUST *(elle prend un autre cahier)*

Pardon... Alors ceci? *(Elle lit.)* « Érôs énergumène... »

FAUST

Qu'est-ce que vous dites?... Qu'est-ce que c'est que ce titre?

LUST

Vous me l'aurez dicté. Je lis ce qu'il y a. J'ai peut-être mal entendu.

FAUST

Érôs énergumène?... Ce n'est pas possible! Érôs énergumène?... Ceci n'est pas de moi. Mais ce n'est pas mal. Érôs énergumène!... Ceci doit être de moi. Si c'est là un produit du hasard, bredouillement de moi, ou distraction de vous, il me plaît; je le prends! Érôs énergumène, Érôs en tant que source d'extrême énergie... Je vois ce que j'en puis faire! Oui. Notez-moi donc ce titre sur un papier rose... Toute une bacchanale d'idées s'agite en moi sous ces deux mots. Il n'en faut pas plus. Érôs énergumène!... Nous retrouverons quelque jour le trésor dont ils sont la clé... Allons!

LUST

C'est noté... Mais voilà bien le génie...

FAUST

N'est-ce pas? Vous voyez comme c'est simple. Il s'agit d'être sensible à quelque hasard. Allons, trouvez enfin le commencement des Mémoires.

LUST

Ah, cette fois, j'y suis. Le voici... *(Elle lit.)* « Les Mémoires de moi, par le professeur-docteur Faustus, membre de l'Académie des sciences mortes, etc... Héros de plusieurs œuvres littéraires estimées... »

FAUST

Le titre est bien... Ajoutez : « littéraires et musicales, très estimées... » Continuez.

LUST *(elle lit)*

« Au lecteur de bonne foi et de mauvaise volonté... »

FAUST

C'est le lecteur idéal... Je mettrai cela en latin... Allez...

LUST *(elle lit)*

« On a tant écrit sur moi que je ne sais plus qui je suis. Certes, je n'ai pas tout lu de ces nombreux ouvrages, et il en est plus d'un, sans doute, dont l'existence même ne m'a pas été signalée. Mais ceux dont j'ai eu connaissance suffisent à me donner à moi-même, de ma propre destinée, une idée singulièrement riche et multiple. C'est ainsi que je puis choisir librement, pour lieu et date de ma naissance, entre plusieurs millésimes, également attestés par des documents et des témoignages irrécusables, produits et discutés par des critiques d'éminence équivalente. Je puis pareillement douter d'un cœur sincère si j'ai été marié ou non, une fois ou plusieurs fois ; si mon épouse tint une conduite conforme à l'usage... » Pardon, Maître, ceci est un peu... ambigu...

FAUST

Tout doit l'être chez moi... Du reste, l'usage est ce qu'on veut, en matière de conduite... Allez.

LUST *(elle lit)*

« conforme à l'usage ou à la nature ; et il en est de même pour mes mœurs, desquelles on peut et l'on doit tout dire, puisque je suis un homme célèbre... » C'est vrai ?

FAUST

Sans doute... Ce sont les facettes de la gloire...
Allez.

LUST *(elle lit)*

« Il résulte de tout ceci que ma vie, telle qu'il
m'en souvient, se mêle de toutes ces vies non moins
imaginaires, mais non moins authentiques, que l'on
m'a attribuées. Mais il importe peu. C'est cela qui
est moi... » C'est merveilleux... Dire que vous
existez... et c'est tout à fait vous.

FAUST

Qu'en savez-vous ?... Allez.

LUST *(elle lit)*

« Mais il importe peu. C'est cela qui est moi. Le
passé n'est qu'une croyance. Une croyance est une
abstention des puissances de notre esprit, lequel
répugne à se former toutes les hypothèses conce-
vables sur les choses absentes et à leur donner à
toutes la même force de vérité. Mais je ne me suis
jamais abstenu de façonner ainsi ce qui devait être
mon histoire ; et par conséquence, je n'ai point, à
proprement parler, de passé. Ce que j'ai fait, ce que
j'ai voulu faire, ce que j'aurais pu faire sont à l'état
d'idées également vivantes devant moi ; et je me
trouve également capable de toutes les aventures
que ma mémoire me représente ou que mes
biographes me prêtent si généreusement. Toutefois... »

FAUST

Toutefois ?

LUST

C'est tout. On s'est arrêté là... On est venu vous rappeler l'heure du grand dîner de gala, chez le Ministre de l'Esprit. Il a fallu mettre votre beau costume, avec l'épée, les rubans, les plumes et les étoiles... Vous étiez vraiment magnifique, un vrai Prince des Idées!

FAUST

J'en ai fait mes esclaves!... Dites : ne trouvez-vous pas que tout cela est bien abstrait, jeunesse?

LUST

Faut-il vous dire la vérité?

FAUST

Je vous laisse le choix du mensonge qui vous paraîtra le plus digne d'être la vérité.

LUST

Hélas, mon Maître, je n'ai pas tant d'esprit que je puisse choisir. Vous voulez bien me demander si ce morceau n'est pas trop abstrait et que puis-je vous répondre? Je vous avoue que je n'écoute guère ce que je vous relis... Et quand vous me dictez, je pense toujours à autre chose, tout en écrivant.

FAUST

Comment... Alors, je ne puis guère compter sur vous?

LUST

Au contraire, mon Maître!... Si je pensais à ce que vous dictez, j'écrirais des plus mal... Il m'arriverait de mêler du mien à votre beau style.

FAUST

Cela ferait peut-être assez bien... De petites coulées d'eau fraîche dans mon sable sec... Et que vous vient-il à l'esprit, par exemple?

LUST

Oh... Des niaiseries. Naturellement. N'importe quoi. Parfois des questions indiscrètes. On ne peut pas être près de vous sans penser à bien des choses...

FAUST

Mais à quoi? Dites un peu.

LUST

Non.

FAUST

Si. Je veux. Il le faut. Puisque je vous dicte mes Mémoires, c'est donc que je me livre à toutes vos curiosités... A propos! Je vous préviens... Mon devoir est de vous prévenir que, dans ces Mémoires que j'entreprends d'écrire, il viendra certainement plus d'une page qu'il vous sera peut-être assez gênant d'entendre. Et plus gênant ensuite de me relire. Mais je veux donner la plus forte, la plus poignante impression de sincérité que jamais livre ait pu donner, et ce puissant effet ne s'obtient qu'en se chargeant soi-même de toutes les horreurs, ignominies intimes ou expériences exécrables — vraies ou fausses — dont un homme puisse s'être avisé. Il n'est rien de si vil ou de si sot qui ne donne couleur de vérité à une histoire de soi-même. Par conséquence, si vos chastes oreilles...

LUST

Mes oreilles?... Comment? Jusqu'aux oreilles!
Cela, je ne savais pas... Des oreilles peuvent donc
ne pas être chastes? Mes jolies petites oreilles! Mais
quelle invention! Que diantre peut-on faire à des
oreilles qu'un petit trou d'aiguille pour les perles?...

FAUST

Le fait est qu'elles appellent des perles... Elles
sont charmantes, ces petites oreilles... *(Il lui prend
l'oreille.)* Merveilleusement épanouies... Faites
pour écouter sans comprendre et pour saisir ce qui
ne se dit pas. Je suis sûr que celle-ci entend fort
bien ce que je lui conte en ce moment. *(Il lâche
l'oreille.)* La Nature a un faible pour les spires
nacrées, dont elle façonne de bizarres joyaux dans
la mer, et les ornements de l'ouïe sur les côtés
d'une jolie tête... Mais il s'agissait de tout autre
chose. Je voulais vous dire que si vous ne vous
sentez pas sûre, tout à fait sûre, de n'être jamais
gênée, ni choquée, ni trop... intéressée, trop...
intéressée par ce qu'il arrivera que je vous dicte, il
vaudra mieux pour vous, et pour moi, que vous
pensiez, dès à présent, à un emploi moins exposé de
vos talents...

LUST

Maître, si je comprends ce que vous dicterez, je
puis l'entendre, et si je ne comprends pas...

FAUST

Si vous ne comprenez pas, vous essaierez de
comprendre; et c'est bien là le pire. Qui sait ce que
vous inventerez? Les innocents sont effrayants.
Vous me dites vous-même qu'il vous vient déjà à

l'esprit des questions indiscrètes, et je ne vous ai
encore rien dicté qui ne soit parfaitement pur.

LUST

Mes questions, Maître? En vérité, il n'y en avait
qu'une...

FAUST

Dites.

LUST

Oh!... Je n'oserai jamais.

FAUST

Si. Je veux. J'ordonne. Il faut aller au bout. Sans
quoi...

LUST

Sans quoi, quoi?

FAUST

Sans quoi le reste réservé de votre pensée vous
pèsera sur le cœur, tandis que la sensation de votre
réticence se prolongera peut-être dans mon esprit.
Dès lors, plus de confiance, et notre travail en
pâtira. Mais je voudrais tant, au contraire, avoir
une certitude de confiance pleine et claire entre
nous, avoir pour secrétaire une demoiselle de
cristal...

(Discans betwe. art & medium)

LUST

Oh! Le joli titre!... La Demoiselle de Cristal! Et
puis, cela fait un nom, un beau nom : Lust de
Cristal... Vicomtesse Lust de Cristal... On peut
signer des romans...

FAUST

Enfin, le voulez-vous ce titre? Le prenez-vous?...
En bien, méritez-le! Devenez transparente. Parlez.
Répondez-moi.

LUST

Puisqu'il le faut... Puisque vous l'exigez...
Puisque je dois être transparente... Je parle... Je
vous demande... Ne m'en veuillez pas... L'esprit
souffle où il veut...

FAUST

Erreur commune. L'esprit souffle où il peut, ce
qu'il peut. Allons, parlez!

LUST

Alors, Maître, est-il bien vrai que vous ayez eu
commerce avec...

FAUST

Le Diable? *(Lust fait signe que oui.)* Mais
naturellement. Comme tout le monde. Connaissez-
vous quelqu'un qui n'ait pas eu des relations
particulières avec lui? C'est impossible. Comment
faire pour n'en pas avoir? Il faudrait ne pas penser,
ne pas rêver, ne pas sentir... Tenez, que faites-vous
en ce moment, mon enfant? Vous brûlez, jeune
Lust, vous brûlez de savoir...

LUST

Enfin, l'avez-vous vu?

FAUST

On l'a dit. On l'a écrit. On l'a même chanté,
beaucoup chanté. Tellement dit, écrit et chanté que

j'ai fini par le croire... Mais à présent... Je
commence à ne plus le croire.

LUST

Après trois mille représentations? Et pourquoi?

FAUST

C'est qu'il est de mon destin de faire le tour
complet des opinions possibles sur tous les points,
de connaître successivement tous les goûts et tous
les dégoûts, et de faire et de défaire et de refaire
tous ces nœuds que sont les événements d'une vie...
Je n'ai plus d'âge... Et cette vie ne sera achevée que
je n'aie finalement brûlé tout ce que j'ai adoré, et
adoré tout ce que j'ai brûlé.

LUST

Pauvres dames qui vous ont aimé! Vous les aurez
mises dans le fourneau du laboratoire.

FAUST

Inutile. La vie suffit. D'ailleurs, la femme brûle
mal. Il faut tout le temps surveiller la combustion
et entretenir le foyer. Cela est très coûteux et très
fatigant.

LUST

Avec votre tour complet des opinions, vous me
faites songer au médecin de maman. Il l'a privée de
sel, pendant dix ans, sous peine de mort... Puis, il
l'a remise au sel; et je suis sûre qu'il s'apprête à la
dessaler encore, dans quelque temps. Mais... ma
réponse? Je n'ai pas ma réponse... L'avez-vous
vraiment vu, ce qui s'appelle vu? Comment est-il?

FAUST

Mais il est ce qu'on veut. Vous entendez : ce
qu'on veut. Tout ce que l'on veut, quoi qu'on
veuille, peut toujours être lui.

LUST

Je n'ai pas ma réponse. Maître... Je n'ai que des
répliques.

FAUST

Et j'ajoute qu'il se change en bien des choses,
sous lesquelles il suffit de bons yeux pour le
reconnaître. Tenez, ce joli temps d'hier. Il faisait
tiède et tendre, après l'ondée... C'était lui. Le petit
banc au soleil, qui invitait à tout ce qu'un banc
doucement doré, et sensiblement à l'écart, sous des
feuilles qui le caressent, propose de langueur, c'est
lui. Un certain goût de fraises ou, plutôt, le
souvenir de ce goût, plus puissant encore, c'est
encore lui... Et vous-même, pour la perte du
passant qui se retourne après vous et flaire votre
vol, c'est lui, Lust... Il est vous-même.

(On frappe.)

LUST

Non, mon Maître. Tout cela c'est de la Littérature. Ce n'est pas lui.

FAUST

De la Littérature? La Littérature, hélas, n'est pas
toujours lui. Comme on l'a dit de quelque autre
chose, elle n'en a trop souvent ni l'agrément ni la
profondeur... *(On frappe. Entre le serviteur-type.)*
Qu'est-ce que c'est?

LE SERVITEUR-TYPE

Monsieur le Professeur, c'est un Monsieur.

FAUST

Il vous a dit son nom?

LE SERVITEUR-TYPE

C'est un Monsieur qui a dit qu'il était ami de
Monsieur... Il est plutôt grand, plutôt maigre... Je
n'ai pas bien saisi son nom... Il parle avec un accent
drôle, plutôt étranger.

FAUST *(déclamant)*

Il parle italien avec un accent russe *...

LE SERVITEUR-TYPE

Je ne sais pas, Monsieur.

FAUST

C'est bien. Faites monter. *(A Lust.)* Mademoiselle, voulez-vous aller m'attendre au laboratoire,
où une idée de propreté et un rien d'ordre ne feront
pas de mal.

LUST

J'y vais, Maître... *(A part.)* C'est lui!...

(Exit.)

* Définition du langage du Diable par Verlaine.

SCÈNE DEUXIÈME

FAUST, MÉPHISTOPHÉLÈS (*en lévite de clergyman,
très élégant, oreilles pointues de bouc*)

MÉPHISTOPHÉLÈS

Cette petite espèce est bien curieuse du diable.
Fallait-il donc venir en cornes et en rouge, avec les
ailerons, les griffes et la queue?

FAUST

Tu es très bien comme cela... Et tu te sers d'une
porte pour entrer!... Et tu embaumes, ma foi!

MÉPHISTOPHÉLÈS

N'est-ce pas? Une infime modification au sulfure
classique, et je répands la fleur la plus flatteuse à
l'odorat.

(*Il s'installe bizarrement sur la table.*)

FAUST

Tu sais trop bien que les parfums sont les plus
grands traîtres du monde. Ils annoncent, ébauchent
et dénoncent les dessins les plus délicieux. Qui se
parfume s'offre! Un grand saint prétendait que les
odeurs empêchent la méditation.

MÉPHISTOPHÉLÈS

C'est toujours autant de gagné. La méditation est
un vice solitaire, qui creuse dans l'ennui un trou
noir que la sottise vient remplir. Je dois beaucoup à
la méditation... Que faut-il faire de cette fille?

FAUST

Doucement. Il ne s'agit pas du tout d'effeuiller une nouvelle Marguerite.

MÉPHISTOPHÉLÈS

Tu lui as promis des perles?

FAUST

Mais non...

MÉPHISTOPHÉLÈS

En voici. *(Il ouvre la main : il en tombe une chaîne de perles.)*

FAUST

Mais non, mais non... Tu écoutes tout ce que l'on se dit, mais j'ai remarqué que tu comprends souvent tout de travers. Tu es plein d'idées préconçues.

MÉPHISTOPHÉLÈS

Avoue que j'ai eu une belle idée, des mieux préconçues, quand j'ai glissé dans le fatras de tes papiers le feuillet de l'Érôs énergumène.

FAUST

Ce titre est à ravir. Tu me le donnes?

MÉPHISTOPHÉLÈS

Que veux-tu que j'en fasse? Prends-le... Prends le génie de ton mauvais génie. Mais je ne pense pas que tu tires jamais grand'chose de ces deux mots magiques... Ils ont rendu la demoiselle assez nerveuse. Quant à toi... A toi! Toi, Érôs énergu-

mène!... ha ha ha! *(Rire.)* Convulsion grossière!
Toi... ha ha ha!

FAUST

Je te répète qu'il ne s'agit pas d'une nouvelle
affaire Marguerite.

MÉPHISTOPHÉLÈS

J'espère bien que le genre est épuisé. Nous n'en
sommes plus, ni toi ni moi (chacun selon sa nature),
à combiner un rajeunissement supplémentaire avec
une virginité complémentaire. Quoique... On peut
toujours y penser... Je pense toujours à tout.
Explique-toi donc, puisque tu m'as invoqué.

FAUST

Moi?

MÉPHISTOPHÉLÈS

Toi. Tu as pensé trois mille deux cents fois à ton
vieux serviteur depuis huit jours, depuis que la
demoiselle transparente est chez toi. J'ai senti de
fort loin frémir la résonance de l'idée que tu as de
moi... Mais je n'ai pu distinguer pourquoi, à quelle
fin? Ta tête docte est si abstruse, si compliquée, si
brouillée de connaissances bizarres, si pénétrée
d'analyses extrêmes, pétrie de tant de contradictions, à la fois super-délirante et extra-lucide que je
m'y perds, que je ne sais jamais à quoi tu vas et ce
que tu veux, puisque tu n'en sais rien toi-même, et
que je ne puis donc en savoir plus que toi. Mais j'ai
bien perçu, cependant, trois mille et deux cents
fois, dans ce chaos d'esprit, un certain désir ou
besoin de me voir; désir ou besoin, en liaison
confuse avec la Lust en question. Moi aussi, j'ai

des oreilles. Oreilles de bouc, s'entend, et point de
perles.

FAUST

Tu peux avoir raison. J'ai des projets. L'amour
est hors de question. Quant à Lust, mes intentions
sont simples et presque pures.

MÉPHISTOPHÉLÈS

Un rien d'énergumène, une esquisse d'Érôs...

FAUST

Je ne sais si ta bestialité peut me comprendre.
Les esprits sont brutaux comme des actes purs
qu'ils sont, par essence. Peux-tu concevoir que j'aie
besoin d'un aimable dévouement auprès de moi,
une présence douce et complaisante, et tout près
d'être tendre? Et même... assez tendre. Oui, la
tendresse, tout court.

MÉPHISTOPHÉLÈS

La tendresse toute nue.

FAUST

Mais non... La tendresse assez bien vêtue. Voilà
tout. Point de démonstrations excessives. Point
d'amour : je sais trop qu'il s'achève en ruine, en
dégoût, en désastres : c'est le froid, c'est la haine,
ou la mort qui termine ces jeux de la chair ou du
cœur, et qui règle leur compte aux délices! Mais, je
te le redis, je ne veux qu'une présence douce auprès
de ma pensée, une assistance sensible et effective,
car il faut qu'elle travaille, Lust...

MÉPHISTOPHÉLÈS

Sous toi.

FAUST

Garde donc tes sottises. Tu n'es qu'un esprit, te dis-je! Jamais esprit n'a eu d'esprit. Être n'est pas avoir... En somme, je vois auprès de moi une personne relativement sérieuse dans la gaieté et relativement gaie dans les choses sérieuses; relativement tendre dans le travail; relativement laborieuse...

MÉPHISTOPHÉLÈS

Dans les tendresses... Mets cela dans les annonces!

FAUST

Mais je crois que je la tiens.

MÉPHISTOPHÉLÈS

Et moi, je crois que ce que tu tiens te tient... Tout ceci ne me dit point ce que j'ai à faire à présent dans ton histoire, déjà si chargée. Que me veux-tu? Qu'est-ce que je fais ici? Tu n'es plus une opération pour moi; nos comptes sont réglés. Quant à la personne relativement gaie, et cætera, elle viendra toute seule où il faut qu'elle aille... Elle y courra. Inutile de s'en occuper. Alors?

FAUST

Tu peux me servir en quelque chose.

MÉPHISTOPHÉLÈS

Je le sais bien. On ne pense jamais à moi d'une pensée désintéressée. C'est là le triste sort de toutes les puissances véritables. On nous prend pour des domestiques affectés aux besognes difficiles qui

demandent des talents extra-naturels... On invoque
les saints, on évoque le diable : on n'y regarde pas
de si près. Pourvu que les gens se tirent d'affaire,
ils ne s'inquiètent pas si le secours leur vient d'en
haut ou bien d'en bas.

FAUST

C'est juste. L'homme est à mi-chemin des deux.
Mais je n'ai pas fini. Je voudrais me servir de toi;
mais dans une entreprise assez différente de toutes
celles où l'on t'emploie en général.

MÉPHISTOPHÉLÈS

Le mal est bon à tout.

FAUST

Attends! Je voudrais me servir de toi, mais te
rendre peut-être un certain service.

MÉPHISTOPHÉLÈS

A moi?

FAUST

Écoute. Je ne puis te cacher que tu ne tiens plus
dans le monde la grande situation que tu occupais
jadis.

MÉPHISTOPHÉLÈS

Penses-tu?...

FAUST

Je t'assure... Oh! je ne parle pas de ton chiffre
d'affaires, ni même des bénéfices nets. Mais le
crédit, la considération, les honneurs...

MÉPHISTOPHÉLÈS

Peut-être, peut-être...

FAUST

Tu ne fais guère peur. L'Enfer n'apparaît plus
qu'au dernier acte. Tu ne hantes plus les esprits des
hommes de ce temps. Il y a bien quelques petits
groupes d'amateurs et des populations arriérées...
Mais tes méthodes sont surannées, ta physique
ridicule...

MÉPHISTOPHÉLÈS

Et tu t'es mis en tête de me rajeunir, peut-être?

FAUST

Pourquoi pas? Chacun son tour.

MÉPHISTOPHÉLÈS

Tentateur...

FAUST

Je veux surtout te divertir un peu. C'est le
moyen que j'ai trouvé de me distraire un peu moi-
même. Nous ferions échange de pouvoirs.

MÉPHISTOPHÉLÈS

Ceci me passe. Tu oses prétendre que je puisse
avoir besoin de toi?

FAUST

Je sais ce que je dis. Tu es dans l'Éternité, mon
Diable, et tu n'es qu'un esprit. Tu n'as donc point
de pensée. Tu ne sais ni douter ni chercher. Au
fond, tu es infiniment simple. Simple comme un

tigre, qui est tout puissance de proie, et se réduit à
un instinct de ravisseur. Il doit tout aux moutons et
aux chèvres : ses muscles et ses crocs, ses ruses et sa
formidable patience. Il n'y a rien de plus en toi,
Mangeur d'âmes qui ne sais pas les déguster ! Tu
ne te doutes même pas qu'il y a bien autre chose
dans le monde que du Bien et du Mal. Je ne te
l'explique pas. Tu serais incapable de me comprendre. Je te dis seulement que tu peux avoir
besoin de quelqu'un qui pense et réfléchisse pour
toi. L'esprit pur, même impur, en est tout à fait
incapable.

MÉPHISTOPHÉLÈS

On ne m'a jamais parlé sur ce ton-là. Du moins,
depuis... fort longtemps. Tu dis que je suis
incapable de pensée, moi qui pénètre toutes les
vôtres...

FAUST

Non. Tu te meus comme la foudre sur les plus
courts chemins de la nature humaine. Ce sont les
voies du Mal.

MÉPHISTOPHÉLÈS

Tout ceci est à voir... Tu es un si étrange
personnage ! J'en ai connu bien peu qui aient su,
pu, voulu comme toi se mettre hors du jeu. Il m'est
passé des milliards d'âmes par les ongles, et qu'ils
s'en soient tirés, qu'ils y soient demeurés, j'ai
observé quel petit nombre sur cet énorme nombre
était celui des êtres sans pareils. J'ai vu des dix
mille Césars, aussi brillants que Jules, des
Sophocles, des Archimèdes, des Platons, des
Confucius, des Praxitèles à foison. Et je ne parle

pas des beautés qui se crurent sans rivales, des
virtuoses de première grandeur, des anachorètes
excessifs, de tous les faiseurs de choses sublimes...
Si tu savais comme il est divertissant et comique de
considérer une masse de gens uniques, agglutinés
ensemble comme des abeilles. C'est un des jolis
coups d'œil de chez moi. Chacun s'est cru le seul de
sa valeur, et il a fait, sans doute, tout ce qu'il fallait
pour n'avoir point de semblable par les talents, la
grâce, la violence ou la profondeur. Il me suffit, là-
bas, de mettre le génie avec le génie de même
espèce, pour jeter et maintenir dans le désespoir
éternel tous les orgueilleux de grand style... Il en
est d'eux comme du diamant, dont tout l'éclat pour
vous serait celui du verre, si ce charbon recuit
pavait les plages, ou si vous connaissiez, comme
moi-même, les entrailles des vieux volcans. Si l'on
savait la surabondance de ce qu'il y a de plus rare,
et la quantité des hommes de premier ordre par
millier de siècles, le diamant de l'orgueil tomberait
à zéro... Mais toi, tu m'intéresses. Ton cas — peut-
être — est-il tout à fait particulier.

FAUST

Je respire.

MÉPHISTOPHÉLÈS

Oui. Ni le Ciel ni l'Enfer n'ont pu te retenir. On
dirait que tu as vomi indistinctement le miel de leurs
promesses comme le fiel de leurs menaces. C'est
par quoi il est possible que tu m'étonnes, chose très
étonnante.

FAUST

Eh bien, faisons accord..

MÉPHISTOPHÉLÈS

Mais tu ne m'as rien dit.

FAUST

Écoute : Je veux faire une grande œuvre, un livre...

MÉPHISTOPHÉLÈS

Toi? Il ne te suffit pas d'être toi-même un livre?...

FAUST

J'ai mes raisons. Il serait un mélange intime de mes vrais et de mes faux souvenirs, de mes idées, de mes prévisions, d'hypothèses et de déductions bien conduites, d'expériences imaginaires : toutes mes voix diverses! On pourra le prendre en tout point, le laisser en tout autre...

MÉPHISTOPHÉLÈS

Ceci n'est pas trop neuf. Chaque lecteur s'en charge.

FAUST

Personne, peut-être, ne le lira; mais celui qui l'aura lu n'en pourra plus lire d'autre.

MÉPHISTOPHÉLÈS

Il sera mort d'ennui...

FAUST

Tais-toi... Je veux que cet ouvrage soit écrit dans un style de mon invention, qui permette de passer et de repasser merveilleusement du bizarre au commun, de l'absolu de la fantaisie à la rigueur extrême, de la prose aux vers, de la plus plate vérité aux idéaux les plus... les plus fragiles...

Je n'en connais pas d'autre.

FAUST

Un style, enfin, qui épouse toutes les modulations de l'âme et toutes les sautes de l'esprit; et qui, comme l'esprit même, parfois se reprenne à ce qu'il exprime pour se sentir ce qui exprime, et se fasse reconnaître comme volonté d'expression, corps vivant de celui qui parle, réveil de la pensée qui tout à coup s'étonne d'avoir pu quelque temps se confondre à quelque objet, quoique cette confusion soit précisément son essence et son rôle...

MÉPHISTOPHÉLÈS

Ho ho... Il se voit que tu m'as fréquenté. Ce style-là me paraît tout méphistophélique, monsieur l'Auteur !... En somme, le style... c'est le diable !

FAUST

Les plus grands m'ont donné l'exemple des emprunts.

MÉPHISTOPHÉLÈS

Par ma fourche, j'approuve. S'il arrive que quelque belle dérobe des bijoux d'une opulente laide, je n'y vois que la réparation d'un désordre, et le juste rétablissement de l'harmonie : et je seconde cette justice de mon mieux. Il est juste et digne que la belle soit le plus belle possible, et que la laide n'insulte pas au décret qui l'a faite un pitoyable objet d'où le regard s'enfuit.

FAUST

J'ai donc ce grand ouvrage en tête, qui doit finalement me débarrasser tout à fait de moi-même, duquel je suis déjà si détaché... Je veux finir léger, délié à jamais de tout ce qui ressemble à quelque chose... Et m'en aller vers toi... ou vers tes anciens camarades, l'esprit et les mains libres, comme un voyageur qui a fait abandon de son bagage et marche à l'aventure, sans souci de ce qu'il laisse après soi.

MÉPHISTOPHÉLÈS

Alors, tu veux finir en homme de lettres, comme un simple conquérant! Il est donc bien difficile de tenir sa plume... Est-ce que j'écris, moi?

FAUST

Mais c'est là justement de quoi mon grand ouvrage me doit une bonne fois délivrer.

MÉPHISTOPHÉLÈS

Et moi, tu me prends pour un cul-de-lampe?

FAUST

Tiens!... quelle heureuse idée! Mais non. J'ai besoin de Lust et de toi-même. Je vous conduis tous deux (mais tes pouvoirs aidant) en divers lieux du monde où je voudrais bien voir le classique Démon que tu es. Je ne puis te cacher que tu parais assez démodé. Tu ne sembles pas concevoir l'effrayante nouveauté de cet âge de l'homme.

MÉPHISTOPHÉLÈS

L'homme est toujours le même, et moi aussi. Je persévère.

FAUST

Tu persévères dans l'erreur historique. Jusqu'ici les moyens de l'esprit de l'homme étaient si faibles qu'il ne faisait qu'effleurer la surface des choses, et attenter à peine à la substance de la vie. Le plus grand monarque ne pouvait que tuer et construire. Tout ce que l'on imaginait qui passât ce pouvoir si borné était supposé appartenir à un ordre surnaturel. La magie vivait de cette croyance. Tu en sais quelque chose. Illustre Méphistophélès... Tu le devrais savoir d'autant mieux que toi-même, tu n'es qu'un produit de tradition...

MÉPHISTOPHÉLÈS

Tu me prends pour un mythe... après un cul-de-lampe...

FAUST

Mais je te prends pour ce que tu deviens.

MÉPHISTOPHÉLÈS

Et dans le même temps que tu me demandes un service, ô Homme que tu es! Tous les mêmes, sinon toujours les mêmes...

FAUST

Je te dis que je veux te servir, et d'abord te faire comprendre combien ta propre situation est gravement intéressée par le changement inouï dont je te parle... Va, l'homme de jour en jour dépouille le fameux « même homme » que tu travailles depuis le misérable Adam. Tu es voué à essayer de tromper et de perdre, de génération en génération, ce vieux type de créature, et tu pratiques ton métier...

MÉPHISTOPHÉLÈS

Pardon, mon art...

FAUST

Ton art, selon une routine assez heureuse...
jusqu'ici. Tu appliques une science du cœur tout
élémentaire, d'une simplicité tout angélique, illus-
trée, plutôt que secourue, par quelques tours de
physique amusante, toujours un peu les mêmes...
Attends! Laisse-moi te parler! Pendant que tu te
reposais ainsi dans la paresse de ton éternité, sur tes
procédés de l'An I, l'esprit de l'homme, déniaisé
par toi-même!... a fini par s'attaquer aux dessous de
la Création... Figure-toi qu'ils ont retrouvé dans
l'intime des corps, et comme en deçà de leur réalité,
le vieux CHAOS...

MÉPHISTOPHÉLÈS

Le CHAOS... Celui que j'ai connu? Ce n'est pas
possible...

FAUST

On pourra te montrer ceci...

MÉPHISTOPHÉLÈS

Le CHAOS...

FAUST

Oui. Le Chaos, le vieux Chaos, ce désordre
premier dans les contradictions ineffables duquel
espace, temps, lumière, possibilités, virtualités
étaient à l'état futur...

MÉPHISTOPHÉLÈS

Ils ont retrouvé le CHAOS... J'étais Archange!

FAUST

Et ils commencent à tâtons à toucher même aux
principes de la vie. Écoute : ils savent désormais ne
plus s'égarer dans leurs pensées. Ils ont compris
que l'intellect à lui seul ne peut conduire qu'à
l'erreur et qu'il faut donc s'instruire à le soumettre
entièrement à l'expérience. Toute leur science se
réduit à des pouvoirs d'agir bien démontrés. Le
discours n'est plus qu'accessoire... Écoute encore :
rien de ce qu'ils découvrent de la sorte ne
ressemble à ce que l'on imaginait autrefois. Il ne
demeure rien ni des vérités ni même des fables, qui
leur venaient des premiers temps.

MÉPHISTOPHÉLÈS

C'est terrible...

FAUST

Je vois que tu commences à t'émouvoir. C'est
une sensation qui m'importe, car mon idée est de te
faire voir tout ceci de fort près.

MÉPHISTOPHÉLÈS

Avec la demoiselle...

FAUST

Oui, je veux observer, et je veux qu'elle note
pour mon grand ouvrage, les réactions du diable à
toutes les irritations que la visite du temps neuf ne
pourra manquer d'exciter dans l'esprit infernal...
Songe, songe, Satan, que ce changement extraordinaire peut t'atteindre toi-même, dans ta redoutable
Personne... C'est le sort même du Mal qui est en
jeu... Sais-tu que c'est peut-être la fin de l'âme ?

Cette âme qui s'imposait à chacun comme le sentiment tout-puissant d'une valeur incomparable et indestructible, désir inépuisable et pouvoir de jouir, de souffrir, d'être soi, que rien ne pouvait altérer, elle est une valeur dépréciée. L'individu se meurt. Il se noie dans le nombre. Les différences s'évanouissent devant l'accumulation des êtres. Le vice et la vertu ne sont plus que des distinctions imperceptibles, qui se fondent dans la masse de ce qu'ils appellent « le matériel humain ». La mort n'est plus qu'une des propriétés statistiques de cette affreuse matière vivante. Elle y perd sa dignité et sa signification... classique. Mais l'immortalité des âmes suit nécessairement le sort même de la mort, qui la définissait et lui donnait son sens et son prix infini...

MÉPHISTOPHÉLÈS

Tu dis des horreurs!

FAUST

Je dis ce qui se fait. Rien de moi ne paraît dans tout ceci. Mais il fallait bien t'éclairer ce qui est pour achever de te séduire.

MÉPHISTOPHÉLÈS

Achève... Et prends mes cornes, après un tel affront... D'ailleurs, tu recevras bientôt les tiennes propres, mon Professeur...

FAUST

Il n'est plus temps de plaisanter. J'achève. Es-tu bien sûr, mon Diable, que ta place suréminente te soit éternellement conservée, que l'on ne trouve pas Là-Haut que tu es un agent dont le zèle tiédit, qui

ne renouvelle pas ses méthodes, qui rend peu?...
Ton emploi est le plus important qui soit dans
l'administration de la Justice Suprême. Mais tu
n'inspires peut-être plus la même confiance. Il n'est
pas écrit que l'on ne trouvera jamais quelqu'un de
pire...

MÉPHISTOPHÉLÈS

Mon cher, on ne remplace pas le Premier
Archange... Je suis tombé, mais du plus haut. *(Il
paraît illuminé un instant d'une lueur violette.)*

FAUST

Sans doute... Mais, quand tu auras mieux connu
les mortels d'aujourd'hui, tu comprendras. Tout le
système dont tu étais l'une des pièces essentielles
n'est plus que ruine et dissolution. Tu dois avouer
toi-même que tu te sens égaré, et comme dessaisi,
parmi tous ces gens nouveaux qui pèchent sans le
savoir, sans y attacher d'importance, qui n'ont
aucune idée de l'Éternité, qui risquent leurs vies
dix fois par jour, pour jouir de leurs neuves
machines, qui font mille prestiges que ta magie n'a
jamais rêvé d'accomplir, et qui sont mis à la portée
des enfants, des idiots... Et qui font produire à ces
miracles un mouvement d'affaires inconcevable...

MÉPHISTOPHÉLÈS

Font-ils de l'or?

FAUST

Bientôt. Du reste, l'or lui-même se meurt, et ils
obtiennent des métaux plus de cent mille fois plus
précieux.

MÉPHISTOPHÉLÈS

Quoi, le veau d'or...

FAUST

Vaudra demain moins cher que le veau naturel.

MÉPHISTOPHÉLÈS

Est-ce qu'ils ressuscitent les morts?

FAUST

Ils n'en ont pas la moindre envie.

MÉPHISTOPHÉLÈS

Pourquoi? C'était le grand jeu.

FAUST

Parce qu'ils trouvent que c'est chacun son tour et que les entrants prendraient leurs places.

MÉPHISTOPHÉLÈS

Ah!... Ils sont forts aujourd'hui... J'ai peur qu'ils aient compris. C'est grave. Oh! je voyais bien, dans mon rayon spécial, que tout allait... à la diable. Les gens se convertissent, se pervertissent, retournent à confesse pour se marier, pour écrire un livre. Ils traversent les religions comme les cerceaux de papier. Ils se font baptiser dans l'Inde, pour avoir des culottes, à Paris pour entrer à l'Académie. Et ils se marient, se démarient, se remarient, tant que l'Église perd la tête entre les annulations, les unions mixtes; les vraies et les fausses mariées. Elle ne sait plus où sont les concubines, les épouses, les consommées et les non-consommées. Ah! ils ont du mal, à Rome! Et moi, en ce qui me concerne, je

suis bien obligé de refaire mon droit canon... Avec
les Américaines, surtout, qui ont de grands moyens,
c'est affolant...

FAUST

Pauvre diable!

MÉPHISTOPHÉLÈS

Oui... Mais, pauvres gens! Le Mal était si beau,
jadis... J'en étais l'Intelligence et le Principe. La
douleur, le plaisir m'étaient les deux cordes d'un
certain luth que je touchais comme un Orphée.

FAUST

Le Beau n'est plus. Le Mal s'est avili. Alors... tu
m'appartiens. Tu vois ce qui t'attend si tu
demeures le vieux diable des vieilles trappes? LÀ-
HAUT, ILS te jugeront insuffisant, et tu ne seras
plus bon qu'à charger les grilles au fin fond des
enfers. Ici, tu ne laisserais de mémoire qu'au
théâtre Guignol, sous le bâton...

MÉPHISTOPHÉLÈS

Après tout... Il se peut que je ne serve à rien. Je
repose, peut-être, sur une idée fausse...

FAUST

Laquelle?

MÉPHISTOPHÉLÈS

Que les gens ne sont pas assez... malins pour se
perdre tout seuls, par leurs propres moyens.

FAUST

Ma foi, je ne vois rien qui ne te donne raison...
Mais te décides-tu?

MÉPHISTOPHÉLÈS

Allons... Soit!... Je signe. *(Il découvre son bras très velu.)*

FAUST

Pas de bêtises. Pas de prise de sang. Ce n'est plus qu'une formalité thérapeutique. C'est fini, les papiers et les signatures. Les écrits aujourd'hui volent plus vite que les paroles, lesquelles volent sur la lumière. Personne n'en veut plus. Donc, nous sommes d'accord. J'appelle la demoiselle...

MÉPHISTOPHÉLÈS

Inutile. C'est fait. Elle arrive haletante! J'ai encore quelques petits tours dans mon sac!... Tu l'entends?...

(On entend Lust crier.)

SCÈNE TROISIÈME

LES MÊMES, LUST

LUST

Maître... Maître... Au secours... *(Elle entre.)* Venez vite... Maître... Appelez tous vos gens...

FAUST

Qu'est-ce qu'il y a?

LUST

Le feu... Tout à coup il a envahi le laboratoire... Venez vite... Tout flambe...

MÉPHISTOPHÉLÈS

Inutile, c'est fini.

LUST et FAUST *(ensemble)*

Ah... ah...

MÉPHISTOPHÉLÈS

Oui.

LUST

Ah... Je comprends... C'est vous... le Diantre... *(Elle fait la révérence.)* C'est drôle, vous ne me faites pas peur du tout.

MÉPHISTOPHÉLÈS

Je l'espère bien, belle enfant. Si je faisais peur, je ne serais pas le Diable. Seulement... je puis faire peur.

LUST

Oh! je pense bien que vous pouvez vous changer en quelqu'un d'effrayant, en bête horrible, en monstre, en pieuvre, en singe!...

MÉPHISTOPHÉLÈS

Je ne suis pas tous les jours en grand costume. C'est précisément quand je parais en cet état hideux qu'il faut le moins s'épouvanter.

LUST

Mais alors, je n'ai pas la sensation d'avoir vraiment vu le Diable; et je n'aurai rien à raconter. Vous êtes assez gentil comme cela, mais vous ressemblez à tout le monde.

MÉPHISTOPHÉLÈS

Prenez garde... Rien n'est plus dangereux que tout le monde. Écoutez donc un peu ce que tout le monde dit de tout le monde...

LUST

Oh, je sais... C'est plein de vipères, bien sûr.

MÉPHISTOPHÉLÈS *(à demi-voix)*

Et si vous saviez ce que tout le monde dit de vous...

LUST

De moi?... Qu'est-ce qu'on dit? On ne peut rien dire... Qu'est-ce qu'on dit?

FAUST

Esprit du Mal, n'allez pas me lui monter la tête...

MÉPHISTOPHÉLÈS

Inutile. Je ne veux que lui donner du Diable quelque idée. Une simple impression. Belle enfant, est-ce que vous tenez toujours à avoir peur?

LUST

Je ne sais plus, Monsieur...

MÉPHISTOPHÉLÈS

Venez un peu à moi. Approchez... Approchez. Tenez, vous approchez maintenant toute seule... Regardez-moi dans les yeux. Bien fixement... Plus fixement...

(Lust pousse un cri et se voile la face.)

FAUST

Allons, ne la tourmente pas... Qu'est-ce donc que tu lui as montré dans tes prunelles ?

MÉPHISTOPHÉLÈS

Un rien. Le fond du fond de sa pensée.

LUST

Ah ! mon Dieu !... *(Elle tombe sur une chaise.)*

FAUST

Chut !... *(Il lui ferme la bouche.)*

LUST *(tremblante)*

Je crois bien que je viens de voir quelque chose de l'Enfer...

MÉPHISTOPHÉLÈS

Mais non... Mais non... Venez encore un peu à moi, Demoiselle de Cristal ! Je veux vous voir en transparence... A ma façon. Venez, venez... *(Elle vient comme attirée.)* Là... là... Tournez-vous... Tournez-moi le dos... Là, là. Maintenant, n'ayez pas peur... Pas peur ? Pas encore peur ? Là... Maintenant je vous prends la nuque. Là. Je ne vous fais pas de mal ? Je ne fais jamais de mal. Là ! Doucement. Très doucement... Là... *(Elle tremble de tous ses membres.)* Je vous fais mal ? Non... *(Très lentement, un temps entre chaque syllabe, et d'une voix profonde.)* Cet...te nuit, cet...te nuit..., vous vous êtes cou...chée à deux heures. *(Un temps.)* Il fai...sait chaud... très chaud, trop chaud... Vous vous ê...tes en...dor...mie... en...dor...mie... sur... le... dos, sur... le dos... largement... lar...ge...ment, ... et vous a...vez... rêvé, vous... avez rê...vé... rêvé que...

(Il lui parle à l'oreille : elle se tord voluptueusement sous la main de Méphistophélès.) Bon... Puis... vous vous ê...tes réveillé...e, vous vous êtes ré...veillé...e, et ré...veillé...e, vous vous... *(Il lui dit quelques mots à l'oreille et retire sa main. Lust tombe à genoux, puis sur les mains ; se relève en larmes qu'elle étouffe et s'enfuit en se cachant le visage, tout rouge.)*

FAUST

C'est ignoble. Tu me dégoûtes ! Tu l'écrases... Et nous devons travailler ensemble...

MÉPHISTOPHÉLÈS

Bah ! Ce n'est rien... Une convulsion grossière ! *(Il hausse les épaules.)*

RIDEAU

ACTE DEUXIÈME

Dans le jardin devant la maison de Faust.

SCÈNE PREMIÈRE

FAUST, *puis un* DISCIPLE *(très jeune homme)*

FAUST *(seul, froissant et défroissant une lettre)*

Non. Certainement, non. Je ne puis me résoudre
à vendre ce peu de terre et cette médiocre maison...
J'y tiens... Voilà pourtant l'argument décisif. J'y
tiens, donc il faut s'en défaire. J'y tiens, donc, elle
me tient. Mais si mon principe l'emporte sur la
douceur du lieu, je tiens donc à mon principe;
mon principe me tient. Mais si je vends, je devrai
acheter autre chose... Quel dérangement! L'habitude, une fois formée, enchaîne et délivre. *(Il
s'assied.)* J'aime toutes ces choses, chacune de ces
plantes, que je vois quand je veux, et que j'ignore
quand il me plaît... Si l'on savait que je vais saluer
mon beau platane tous les matins, et l'embrasser de
tout mon cœur... Ce gredin de notaire... Croit-il
que je ne sache pas lire un papier d'affaires?... Ô
gens de loi! *(→ echo of Marlow ?)*

(Entre le Disciple.)

LE DISCIPLE

Maître... Mon Maître... *(Révérence.)* Est-il possible! Je vous salue respectueusement... Je m'excuse... Je suis si ému...

FAUST

Soyez le bienvenu, Monsieur. Ne soyez jamais ému devant un homme.

LE DISCIPLE

Vous n'êtes pas un homme, Maître... Est-il possible qu'un homme ait fait ce que vous avez fait, toutes ces découvertes, et ces livres que j'ai tant lus, et relus au bout du monde, d'où je viens? Si vous saviez ce que vous êtes pour moi et pour tant d'autres! Pardonnez-moi de vous dire si mal ce que je sens si fort. Je n'ai pu résister au désir de vous voir, de m'assurer de votre existence, Maître...

FAUST

Vous venez du bout du monde? C'est loin. Asseyez-vous, je vous prie.

LE DISCIPLE

Non, Maître, pardon... Pas devant vous...

FAUST

Où est ce bout du monde? Je voudrais bien faire un voyage qui m'assurât, moi aussi, de mon existence... J'en ai fait quelques autres, qui m'ont finalement ramené sur ce banc, et qui m'ont appris... diverses choses. Mais rien sur moi-même que je n'eusse trouvé d'abord dans ma chambre ou dans ce jardin.

LE DISCIPLE

Il est joli, ce jardin... Mais vous devez connaître d'immenses joies dans ce petit espace calme...

FAUST

J'y connais chaque jour quelques petits ennuis... Les escargots, les petites bêtes, tout ce merveilleux petit monde qui fait de l'opposition...

LE DISCIPLE

Cependant, Maître, vous êtes ici entre votre grand génie qui crée, et toute votre gloire qui vous revient du large de l'univers pensant...

FAUST

Oui. Oui... Je crois bien que mon génie n'est que mon habitude de faire ce que je puis. Supposé que ce soit là précisément ce que les gens appellent « génie », j'admire que ce génie ait pris la forme régulière, la routine des habitudes, et vienne « créer » (comme vous dites) en moi, — ou par moi, — de telle heure à telle heure, presque tous les jours... J'en ai conclu ou bien que je n'ai point de génie; ou bien, que ce génie dont parlent les gens n'est point du tout ce qu'ils croient qu'il est... D'ailleurs, c'est un étrange rôle que de distribuer les cadeaux du hasard à une foule d'inconnus!

LE DISCIPLE

Oh! Maître, que dites-vous! Il n'y a point de doute que vous ne soyez le flambeau même de ce temps. Toute la jeunesse le crie!

FAUST

De ce temps?... Alors, il est possible, car ce

temps ne vaut rien, et son flambeau est celui qu'il mérite... Quant à la jeunesse, — excusez-moi, — toutes les chances de se tromper sont nécessairement avec elle.

LE DISCIPLE

Vraiment, je suis confondu par votre modestie et votre simplicité, Maître. Je suis encore plus ému qu'en sonnant à votre porte.

FAUST

Mon ami, je ne crois pas être modeste, et j'espère n'être pas simple... Mais je suis fatigué de tout ce qui empêche de l'être. Il est gênant et fatigant de faire figure de grand homme : ceux qui s'y plaisent font pitié.

LE DISCIPLE

Mais enfin, Maître, vous aviez conscience de l'œuvre admirable que vous avez donnée aux hommes. Elle existe... Elle est immortelle. Le « De Subtilitate » à lui seul... Et ce Traité extraordinaire du « Corps de l'Esprit » qui ne me quitte pas, et pourtant, je le sais par cœur... Tenez! *(Il tire un livre de sa poche.)*

FAUST

C'est une loque. J'avoue que si j'aimais mes livres, c'est dans ce noble état de fatigue et de saleté qu'il me plairait de les revoir.

LE DISCIPLE

Vous ne les aimez pas?

FAUST

Mais comment voulez-vous que j'aime ce qui ne peut plus que m'attrister? Vous ne comprenez pas? Voyons : si j'entrouvre un de mes ouvrages, et si je le goûte, si je m'admire, c'est là me sentir inférieur à celui qui l'écrivit. Je me dis : Tu n'en ferais pas autant aujourd'hui, tu es ta propre diminution. C'est un sentiment très pénible. Que si, au contraire, le texte me semble absurde ou d'un style que je ne puis plus supporter, j'ai honte d'avoir été le malheureux qui l'a pu écrire... On n'y échappe point. Il faut pleurer dans les deux cas, ou celui que l'on est, ou celui que l'on fut, et le moment présent a toujours les deux visages d'un Janus, tous deux fort tristes.

LE DISCIPLE

Vous me désespérez... Qui m'eût dit que je trouverais dans l'illustre Faust cette profondeur d'amertume. Vous éclairez tout ce qu'on aime d'une lumière étrange et froide.

FAUST

En vérité, mon ami, je n'aime ni ne hais le passé, ni mes livres qui en sont des fragments et des fruits... Ils ne sont plus de moi. Je ne me trouve point dans le passé... Un MOI a-t-il un passé?... Mais ce mot de passé n'a plus de sens pour ce moi... J'ai vécu et puis... j'ai plus que vécu! Comment vous expliquer ceci? Je ne sais vous donner de mon destin rigoureusement singulier qu'une figure... Supposez que vivre se représente par une sorte de mouvement, qui aille d'un lieu et d'un jour où l'on naît, au lieu et au jour où l'on

meurt. Le soleil d'une vie se lève en un point de
l'horizon, se dégage des brumes et des formes
tendres de l'enfance. Le grand jour des sensa-
tions, des désirs, de la connaissance, des affec-
tions et des pensées se lève... la lumière se précise
et durcit. L'astre des forces et des certitudes atteint
le plus haut de sa course, puis décline et disparaît... L'homme est donc une sorte d'éphémère
qui ne revit jamais ce jour unique, qui est toute
sa vie. Le soleil de sa présence ne luit jamais
deux fois, et n'éclaire jamais que des spectacles
sans pareils, entre la nouveauté de sa naissance
et la nouveauté de sa mort... Mais moi, mon
jeune ami, j'ai vu, par l'intervention de puissances
mystérieuses, j'ai vu le jour de ma vie se pour-
suivre sous l'horizon fatal. L'autre face de la
nature et les antipodes de la création m'ont été
révélés. J'ai fait le véritable tour du véritable
monde... Puis, toujours entraîné par ma fatalité, je
revins dans le temps... Je vins revivre. Je revis. Je
vis, je vois, je connais, si c'est vivre, voir et
connaître que de revivre, de revoir et de reconnaître. Vous parliez de génie... Je vous ai dit qu'il
ne peut plus pour moi avoir d'autre signification ni
d'autre valeur que celles d'une habitude. L'idée la
plus rare et la plus hardie qui me vienne ne me
donne jamais plus l'impression d'une nouveauté. Il
me semble, aussitôt surgie, l'avoir déjà pensée et
repensée... Et puis, que peut me faire la gloire,
quand je sais qu'elle n'est que le produit de ces
êtres qui ne vivent que leur seul jour ?

LE DISCIPLE

Maître, tout ce que vous me dites me transporte
dans une sphère de vérités si difficiles, si sévères,

que je n'ose plus vous parler de votre œuvre et de vous... Ce que j'en pensais était donc bien loin de ce qu'il faudrait en penser... J'étais plein de questions. J'espérais obtenir de vous des réponses, qui, tombées de votre bouche, devaient décider de ma carrière et m'assurer dans mes travaux... Mais j'ai peur que vous ne puissiez rien me dire qui ne passe infiniment ce que je puisse m'appliquer. Je vois bien que votre œuvre même n'est pas pour vous ce qu'elle est pour nous. Pour vous, d'après vos paroles, créer, ce ne serait que jouer, en grand joueur blasé sur ses talents, sa partie de chaque soir à la même heure, à la même table!... Pour nous, ce que vous faites nous apparaît le fruit d'une entreprise toujours téméraire et toujours heureuse, qui s'attaque à ce qui est en l'âme d'infus et d'insaisissable, et que nous sentons du plus haut prix, mais qui se dérobe indéfiniment à tout autre qu'à vous, comme se dérobe au nageur désespéré la bouée qui est le salut, mais que repousse le geste même dont il s'épuise à la saisir... Mais vous! On dirait que jamais la parole ne manque à vos pensées, et que, toujours pure, toujours armée de ce qu'il faut de rigueur, soutenue de ce qu'il faut d'harmonie pour exciter et contraindre les esprits à la jouissance des forces et des clartés qu'ils possédaient sans le savoir, cette héroïque parole ne s'en prenne jamais qu'à l'inexprimable et le réduise toujours à ses desseins...

FAUST

Comme vous parlez bien! Mais, si je vous entends, vous attendiez des conseils, mon jeune ami?... Mais le meilleur des conseils ne vaut pas la moindre imprudence, et n'a jamais épargné une

erreur à quelqu'un qu'il ne l'ait jeté dans une autre.
Je vous jure qu'il faut se tromper, et que rien
d'excellent ne peut dériver de l'expérience d'autrui... Tous les politiques ont lu l'histoire; mais on
dirait qu'ils ne l'ont lue que pour y puiser l'art de
reconstituer les catastrophes.

LE DISCIPLE

Vous ne me direz donc rien que je puisse
emporter avec moi, et qui me soit un peu plus
qu'un souvenir extraordinaire? J'espérais de vous,
Maître, comme une morsure du serpent de la
sagesse dans la chair de mon esprit, une piqûre
d'un poison de transformation profonde et merveilleuse... Dites-moi seulement un mot, une petite
sentence que je puisse me dire et redire en mémoire
de vous...

FAUST

« Prenez garde à l'Amour. »

LE DISCIPLE

Vous condamnez l'amour?

FAUST

Je n'ai pas dit cela. Cela n'a point de sens.

LE DISCIPLE

Quel est le sens, alors?

FAUST

Celui qui vous apparaîtra quelque jour. Ce n'est
pas ici un conseil. C'est un petit présent de quatre
mots que je vous fais.

LE DISCIPLE

Oserai-je vous demander la faveur de les écrire de votre main sur mon livre?

FAUST

Je n'écris plus jamais. Je dicte. Rien que savoir signer mon nom de ma main m'a coûté assez cher, dans le temps jadis, au temps de ma vieillesse... Attendez. *(Il appelle :)* Lust! Venez avec votre écritoire! Adieu, Monsieur. Portez-vous bien, et bon retour chez vous.

> *(Il sort par le jardin. Le Disciple s'incline profondément.)*

SCÈNE DEUXIÈME

LE DISCIPLE *(seul, se livre à toute une mimique de cessation de contrainte, tire la langue. Grimaces, haussement d'épaules, etc...)*

En voilà un vieux farceur! Il m'a refusé même une signature... Je n'ai rien su lui répondre... Il vous met si mal à l'aise avec sa simplicité. Ce doit être une comédie, le dernier cri du grand genre... Il s'est moqué de moi avec son tour du monde et son dernier conseil. Ah! il ne s'est pas cassé la tête! *(Imitant Faust.)* « Prenez garde à l'Amour... » Je traduis : Cave Amorem. C'est moins nul en latin... Ou plutôt : Cave Amores? Non... Cave venerem, c'est mieux. Mais Cave Amorem fait penser à Cave d'amour. Ce serait un joli nom pour un cabaret sombre, à femmes... Prenez garde à l'Amour!... Ce

Faust est un sacré farceur. Il est malin. Il en
impose. Mais cet air dégoûté. Monsieur ne touche
même pas une plume... Moi, à sa place, j'aurais
d'autres façons. C'est pas naturel, d'être si naturel,
tout en étant surnaturel... Non. Ma foi, j'aime les
grands hommes qui ont l'air grand homme et
Olympien, avec un énorme front et le doigt
dessus... et l'œil... l'œil, tout est là! Enfin tout ce
qu'il faut pour ressembler à ce qu'on veut
paraître... Mais je m'embête ici. Que diable fait
donc ce fichu secrétaire?

SCÈNE TROISIÈME

LE DISCIPLE, MÉPHISTOPHÉLÈS
(apparu derrière lui)

MÉPHISTOPHÉLÈS

Monsieur m'a demandé?

LE DISCIPLE *(sursaut)*

Heuh! Vous êtes le secrétaire du Maître?

MÉPHISTOPHÉLÈS

S'il vous convient, Monsieur.

LE DISCIPLE

C'était pour écrire sur ce livre quelques mots
qu'il a bien voulu improviser pour moi. Pour moi,
hein?... Il m'a dit qu'il n'écrivait jamais, et que
vous...

MÉPHISTOPHÉLÈS

Oui. La plume lui pèse. Moi, j'imite à ravir son ancienne écriture. En vérité, on n'y voit que du feu. La mienne seulement est un peu plus nerveuse. Vous vous intéressez aux autographes? Entre nous, vous pourrez revendre fort bien ce que je vais écrire. On se dispute NOS manuscrits.

LE DISCIPLE

Croyez-vous? Ah fichtre! Ma foi, j'aurais gardé jusqu'à la mort une ligne qu'il eût, lui-même, de sa main, mise sur ce bouquin... Mais, excusez-moi, si c'est vous...

MÉPHISTOPHÉLÈS

Parbleu! si ce n'est que de ma griffe, et fort cher, vous vendez vivement. C'est humain. En vérité, je ne sais quel conseil vous donner... Peut-être, feriez-vous bien de ne pas garder... jusqu'à la mort le moindre mot de mon écriture? Entre nous, si l'on savait qui... Vous verriez ce qu'elle vaudrait dans les ventes... Je n'en sais qu'une autre qui la battrait aux enchères... C'est l'original d'un petit poème, très vieux, très sec, gravé, il y a très, très longtemps sur pierre polie...

LE DISCIPLE

Quel poème?

MÉPHISTOPHÉLÈS

Cela s'appelle le Décalogue, autographe unique de l'Auteur.

LE DISCIPLE

Ah çà, monsieur le Secrétaire, j'en ai assez!... C'est une maison de farceurs que celle-ci... Est-ce

que tout le monde ici va se ficher de moi?... Dites
donc, vous et votre patron, vous vous moquez du
monde! Au diable, ces gens-là!

MÉPHISTOPHÉLÈS

Voilà qui est bien dit! Mais, Monsieur, je vous
jure, sur votre salut éternel, qu'il n'est rien de plus
vrai ni de plus sérieux que ce que vous avez
entendu de la bouche du Maître ou de la mienne.
Mais permettez-moi... Vous apportiez ici un esprit
qui n'était disposé à entendre que ce qu'il s'était
soi-même promis qu'il entendrait... C'est là l'incon-
vénient de ne chercher (comme dit l'autre) que ce
qu'on a déjà trouvé. Mais (c'est encore un autre qui
l'a dit) l'homme est absurde par ce qu'il cherche et
grand par ce qu'il trouve, et il n'est rien de
précieux qu'il n'ait trouvé, qu'il ne l'ait trouvé en
s'y heurtant... Ainsi... vous vous heurtez à moi!
Mais que faut-il enfin que j'inscrive sur votre livre?

LE DISCIPLE

Rien que ces quatre mots : Prenez garde à
l'Amour... Ce n'est pas très profond, n'est-ce pas?
Ni très neuf... Je crois qu'il m'a pris pour un niais.

MÉPHISTOPHÉLÈS

Pensez-vous qu'il travaille sur mesure? Voyez-
vous, le docteur pense toujours un peu à côté des
personnes auxquelles il parle. Il en sait tant qu'il ne
peut plus s'adresser à quelqu'un en particulier. Il
parle pour l'humanité, vous comprenez? Peut-
être... Pour un peu plus loin. Mais il faut que je
vous écrive ces quatre mots. Si vous voulez, je puis
y mettre un rien de profondeur... C'est ma spécia-
lité... Je suis assez connu comme Déprofondiste.

Venez, venez! Je n'ai pas ma plume ici... Allons
ensemble... « Prenez garde à l'Amour. » Vous trouvez cela trop simple? Je parie que vous êtes tout
neuf en cette matière. Ne rougissez pas. Il ne faut
jamais rougir qu'après... Allons! Nous parlerons un
peu de tout cela, et de bien d'autres choses, d'une
quantité d'autres choses. *(Il lui prend le bras avec
force.)*

LE DISCIPLE

Hé! Pas si fort! Vous m'emportez, sapristi!

MÉPHISTOPHÉLÈS

En rrroute!

(Exeunt.)

SCÈNE QUATRIÈME

LUST *(paraissant à une fenêtre basse
qu'elle ouvre vivement)*

Pardon, Maître... J'arrive... Il n'est pas là! Maître! *(Elle disparaît et reparaît sortant de la maison.)* Il m'a semblé pourtant qu'il m'appelât? Est-
ce bien lui? Ou bien... l'Autre... ou bien... moi?
Je me suis sentie un peu étourdie. Un temps s'est
passé, sans doute? Pas même une minute, je crois...
Et il n'y a plus personne. Mais je ne sais s'il n'y a
vraiment plus personne? Tout s'est fait étrange
dans ma tête depuis que je suis entrée chez ce
grand seigneur de l'esprit. J'ai souvent l'impression
qu'il y a quelqu'un dans l'air, dans les rideaux,
dans les arbres, qui ne me laisse jamais seule... Et il

3

me semble aussi qu'il n'y a plus personne en moi.
Je ne peux plus penser à rien. Il y a tant de pensée
ici? Je sens trop, peut-être, que tout ce que je
pourrais penser serait si peu de chose... Mon âme
doit le sentir si bien qu'elle ne tente même plus de
parler avec elle-même... Après tout, c'est peut-être
un vide, que l'âme? C'est peut-être seulement ce qui
demande sans cesse ce qui n'est pas? Mais où donc
est-il? *(Elle appelle de tous côtés.)* Maître... Maître...

SCÈNE CINQUIÈME

LUST, FAUST *(il arrive du jardin, tenant une rose)*

FAUST

J'arrive, Mademoiselle... Tenez, une rose pour
vous... Mais prenez vite de quoi écrire... Je vais
dicter ici... Les idées viennent en foule.

LUST

Merci, mon Maître! Elle est d'une fraîcheur
profonde. On voudrait passer sa vie à puiser, les
yeux fermés, dans cette fleur, tout ce qu'elle offre
de suave et d'enivrant au visage... Oh! que c'est
puissant et doux!

FAUST

Oui. Mais les idées n'attendent pas. Êtes-vous
prête? Posez là cette fleur.

LUST

J'ai là tout ce qu'il faut, papier, crayons... *(Elle
met la rose à son corsage.)*

FAUST *(il s'assied)*

Allons. Je vais dicter sans ordre. Les idées ne
coûtent rien... C'est la forme. Mais il faut les saisir...

LUST

J'y suis, Maître.

FAUST

Bien. Bien... Mais moi, je n'y suis plus. *(Un
temps.)* Il fait divin, ce soir... *(Lust écrit.)*

LUST *(relisant)*

« Divin, ce soir... »

FAUST

Mais non... Je ne dicte pas... J'existe. Il fait
divin, ce soir. Trop bon, trop doux, trop beau,
même... La Terre est tendre...

LUST

Dois-je rester? Vous voulez être seul?

FAUST

Non... C'est trop pour un seul. Asseyez-vous par
là... Vous devez demeurer. Vous devez jouir avec
moi, comme moi, de l'odeur fraîche de la terre
arrosée et des émanations si précieuses que la fin de
ce jour inspire à toutes mes fleurs. Pour moi, les
parfums sont promesses. Promesses pures, rien de
plus. Car rien ne passe en délice la promesse...
Surtout, rien de plus...

LUST

Vous ne voulez vraiment pas travailler?

FAUST

Nous travaillerons plus tard. Il y a de la sagesse à
commencer par la récompense. Ce moment est d'un
si grand prix... Il me possède comme ces accords de
sons qui vont plus loin que la limite du désir de
l'ouïe, et qui font tout l'être se fondre, se rendre à
je ne sais quelle naissance de confusion bienheu-
reuse de ses forces et de ses faiblesses. Toutes
choses qui nous entourent chantent. Le plus beau
de ce jour chante avant de mourir.

LUST *(con amore)*

Mais c'est vous qui chantez, mon Maître... Vous
paraissez un dieu, ce soir... Vous faites plus que
vivre... Vous semblez être vous-même un de ces
moments merveilleusement pleins de toutes les
puissances qui s'opposent à la mort. Votre visage, à
cette heure, est le plus beau de vos visages. Il
propose à la riche lumière du couchant ce qu'elle
peut éclairer de plus spirituel et de plus noble.
Non, je ne vous avais jamais vu, puisque jamais je
ne vous avais vu cette douceur superbe, et ce regard
plus grand que ce qu'on voit... Est-ce que... vous
n'allez pas mourir ? Vos yeux semblent contempler
l'univers au moyen de ce petit jardin qu'ils consi-
dèrent, et qui leur est comme le petit caillou qu'un
savant ramasse, et qui, dans le creux de sa main, lui
parle d'une époque du monde.

FAUST

L'univers ne m'importe pas, et je ne pense à rien.

LUST

Qu'en savez-vous ?

FAUST

Je vous dis que je ne pense à rien... Mais ici, doit se décider quelque chose, et je le sais précisément par ceci, que je ne pense à rien.

LUST

Mais quoi?

FAUST

Quelque chose. Et peut-être... autre chose. Mais mon corps ne sait pas encore, et mon esprit ne me dit rien. Seule, chante cette heure, la profusion du soir.

LUST

C'est étrange... Moi non plus, je ne pense à rien.

FAUST

Il fait trop bon, ce soir. Il n'y a plus à penser. Quel âge avez-vous?

LUST

Je pourrais être mariée depuis cinq ans.

FAUST

Je pourrais être mort depuis longtemps, fort longtemps... J'ai été jeune, Lust.

LUST

Mais jamais vous ne fûtes si beau, j'en suis sûre...

FAUST

J'ai été jeune, Lust. J'ai été vieux. Et puis, j'ai été jeune encore. J'ai couru plus d'un monde...

Mais j'ai pesé mes désirs et mes expériences dans la solitude.

LUST

Dans le désert?

FAUST

Pourquoi? La solitude est un produit qu'on fait partout.

LUST

Et... maintenant?

FAUST

J'ai tout pesé. Le poids total est nul. J'ai fait le bien. J'ai fait le mal. J'ai vu le bien sortir du mal; le mal, du bien.

LUST

Alors, le tour entier?

FAUST

Oui.

LUST

Et... maintenant?

FAUST

Et maintenant, voici que je suis ce que je suis, et que je ne crois pas être autre chose. Il fallut tant d'espoirs et de désespoirs, de triomphes et de désastres pour en venir là... Mais j'y suis... Avec un peu plus d'esprit, j'y serais venu par l'esprit tout seul...

LUST

Maître, je n'entends pas tout ce que vous dites.
Vous parlez; vous ne me parlez pas. Mais je n'ai
pas besoin de comprendre. Je ne puis pas, ce soir,
suivre une idée. Mais c'est votre voix qui se fait
suivre, comme une musique. Elle me porte... tout
auprès des larmes... Oh, dites encore tout ce que
vous voudrez... Cela fait mal, presque... J'ai envie
de me trouver mal d'être trop bien. Je suis trop
heureuse, et pourtant j'étouffe... Je ne me trouve ni
paroles ni rien qui puisse me décharger le cœur de
cette abondance... de moi. Oh! Et puis ces terribles
oiseaux si haut dans le ciel, dont les cris trop aigus
traversent mon bonheur...

FAUST *(à soi-même)*

Serais-je au comble de mon art? Je vis. Et je ne
fait que vivre. Voilà une œuvre... Enfin ce que je
fus a fini par construire ce que je suis. Je n'ai plus
aucune autre importance. Me voici le présent
même. Ma personne épouse exactement ma présence, en échange parfait avec quoi qu'il arrive.
Point de reste. Il n'y a plus de profondeur. L'infini
est défini. Ce qui n'existe pas n'existe plus. Si la
connaissance est ce qu'il faut produire par l'esprit
pour que SOIT ce qui EST, te voici, FAUST,
connaissance pleine et pure, plénitude, accomplissement. Je suis celui que je suis. Je suis au
comble de mon art, à la période classique de l'art de
vivre. Voilà mon œuvre : vivre. N'est-ce pas tout?
Mais il faut le savoir... Il ne s'agit pas de se trouver
sur ce haut plateau d'existence, sans le savoir. Que
d'aventures, de raisons, de songes, et de fautes pour
gagner la liberté d'être ce que l'on est, rien que ce

que l'on est! Qu'est-ce que la perfection, sinon la
suppression de tout ce qui nous manque? Ce qui
manque est toujours de trop... Mais, à présent, le
moindre regard, la moindre sensation, les moindres
actes et fonctions de la vie me deviennent de la
même dignité que les desseins et les voix intérieures
de ma pensée... C'est un état suprême, où tout se
résume en vivre, et qui refuse d'un sourire qui me
vient, toutes les questions et toutes les réponses...
VIVRE... Je ressens, je respire mon chef-d'œuvre.
Je nais de chaque instant pour chaque instant.
VIVRE!... JE RESPIRE. N'est-ce pas tout? JE RES-
PIRE... J'ouvre profondément chaque fois, toujours
pour la première fois, ces ailes intérieures qui
battent le temps vrai. Elles portent celui qui est,
de celui qui fut à celui qui va être... JE SUIS,
n'est-ce pas extraordinaire? Se soutenir au-dessus
de la mort comme une pierre se soutiendrait dans
l'espace? Cela est incroyable... JE RESPIRE, et
rien de plus. Le parfum impérieux de mes fleurs
veut que je respire et l'odeur de la terre fraîche
vient en moi surgir, toujours plus désirée, toujours
plus désirable, sur les puissances de mon souffle.
JE RESPIRE; et rien de plus, car il n'y a rien de
plus. JE RESPIRE et JE VOIS. Ce lieu est doux à
voir... Mais qu'importe ce lieu? Qu'importe ce
qu'on voit? VOIR suffit, et savoir que l'on voit...
C'est là toute une science. Je vois ce pin. Qu'importe ce pin lui-même? Ce pourrait être un chêne,
là. Je le verrais. Et ce toit de brillante ardoise serait
aussi bien un miroir d'eau calme. Je le verrais. Et
quant à la figure de ces collines éloignées qui
ferment accidentellement le pays, je me sens dans
les mains le pouvoir d'en redessiner à mon gré la
longue ligne molle... VOIR, c'est donc aussi bien

voir autre chose; c'est voir ce qui est possible, que de voir ce qui est... Qu'est-ce donc que les visions exceptionnelles que les ascètes sollicitent, auprès de ce prodige qui est de voir quoi que ce soit? L'âme est une pauvresse. Si je ferme les yeux, et si je me concentre, me voici entre l'esprit et l'âme... Quelle misère! Où sont les formes précises, les nuances, la perspective que le moindre mouvement transforme? De quel prix de fatigue dois-je payer à présent, sous mes paupières, la durée, la netteté et l'éclat des objets que j'essaie de me former? Et quelle foi intense, quelles macérations obstinées, quelle oraison excessive pourrait se créer un soleil comme celui-ci qui luit et verse si généreusement son sang de pourpre, pour tout le monde?

LUST *(à part et s'approchant de lui par-derrière, avec précaution, et comme invinciblement mue)*

Je ne puis demeurer si loin. Ce serait comme demeurer loin de moi-même... Que dirait-il, si je lui baisais la main? Que ferait-il?

FAUST

JE RESPIRE et JE VOIS... Mais ce qu'il y a peut-être de plus présent dans la présence, c'est ceci : JE TOUCHE... *(Il frappe le bras du banc sur lequel il est assis.)* Et d'un seul coup, je trouve et je crée le réel... Ma main se sent touchée aussi bien qu'elle touche. Réel veut dire cela. Et rien de plus.

LUST *(derrière lui, à demi-voix)*

Il parle, et je me parle; et nos paroles ne s'échangent point. Et cependant, il ne se peut qu'il n'y ait entre ce qu'il ressent et ce que je sens moi-même une ressemblance... vivante. L'heure est trop

mûre, trop chargée des fruits mûrs d'un jour de
pleine splendeur pour qu'il se puisse que deux
êtres, même si différents, ne soient pas mêmement
à bout de leur résistance à la force des choses...
Mêmement comblés qu'ils sont, mêmement trop
riches qu'ils sont, et comme chargés d'une puissance de bonheur presque insupportable, et qui ne
trouve pas son effusion, son terme naturel, son acte,
sa fin... une sorte de mort...

FAUST

Oui. Quoi de plus réel? Je touche? Je suis
touché. Un vieil auteur disait : Toucher, être
touché n'appartient qu'aux seuls corps... (*Un
silence, Lust lui a mis doucement la main sur
l'épaule.*) On me touche... Qui? C'est toi, Lust?...
Je te croyais partie...

LUST

C'est moi... Pourquoi me dire Tu?

FAUST

Parce que vous m'avez touché... Pourquoi m'as-
tu touché?

LUST

Je craignais que vous ne vous endormiez en
rêvant... Ce n'est pas prudent, savez-vous...

FAUST

Je n'ai rien à redouter d'un soleil de plus qui se
couche... Laissez la main.

LUST

Non. Pourquoi la laisserai-je?

FAUST

Parce qu'il y a plus de raison... Retirez-la.

LUST

Non.

FAUST

Pourquoi?

LUST

Puisqu'elle est venue toute seule... En vérité, je
ne sais pas pourquoi elle est venue, pourquoi elle
demeurerait là, sur votre épaule, et pourquoi se
retirerait? Pourquoi? C'est vite dit. Est-ce que vous
savez vous-même, tout savant que vous êtes,
pourquoi vous m'avez dit TU, tout à l'heure? Cela
se fait tout seul, comme tout ce qui est très
important. *(Elle retire sa main.)*

FAUST

Cela est donc né de vous et de moi, et non de
vous ou de moi. Votre main et ce mot, cela forme
quelque chose, une sorte d'être. Nous n'en savons
pas plus que ceux qui font un enfant n'en savent
sur celui qu'ils font. L'intimité parfois naît d'un
rien, d'une distraction, d'une erreur partagée... Et
parfois ce rien se résout en rien; parfois, il entraîne
le tout... Retirez votre main, Mademoiselle.

LUST

Mais je l'ai retirée, Maître.

FAUST

Je croyais la sentir me peser encore très légère-
ment sur l'épaule... Mais, donnez-la moi, mainte-

nant... J'en ai besoin. Une sorte de langueur trop agréable me défend de me lever. *(Elle lui donne la main; il fait un mouvement comme pour attirer Lust sur lui; mais aussitôt il lâche et repousse la main qu'il tenait.)* Non... Ce n'est pas la peine... Merci. Ne m'aidez pas. Si vous me la donniez...

LUST

Eh bien?

FAUST *(il se lève)*

Le tout viendrait.

LUST *(baisse la tête et d'une voix qui tremble)*

Vous rentrez?

FAUST

Pas encore. J'ai envie de travailler encore un peu ici. Nous avons bien une petite heure de jour. On dirait qu'il nous quitte à regret. Mais le travail n'avance guère. Voulez-vous prendre le cahier? Vous avez de l'ennui? Vous avez l'air de quelqu'une qui ne soit pas loin de pleurer.

LUST

Oh non!... C'est un air de visage que j'ai de temps en temps, Maître. Je ne sais ce qui fait cela de ma figure. Je dois être bien laide... Mais une femme ne s'y tromperait pas. Elle verrait tout de suite que je ne pense à rien qui demande qu'on pleure. Les hommes ne savent pas lire sur nous ces petites choses qui seraient parfois pour eux de la plus grande importance.

FAUST

Dites plutôt : de l'importance qu'ils attachent
aux femmes.

LUST

Je dis plutôt de l'importance qu'ils attachent à
telle femme. Celle-là est heureuse.

FAUST

Vous aussi, je vois, vous croyez au bonheur, ce
mot pour femmes, et le placez surtout dans la
sensation d'être le seul souci, le souverain et
l'éternel souci d'un autre... Qui sait?... Soit. Mais
puisque vous n'avez nulle envie ni raison de
pleurer, j'en suis bien aise, et je vous prie de vous
installer pour la dictée... Où vous voudrez. Bon...
Voulez-vous me relire la dernière phrase?

LUST

La dernière de l'autre fois?

FAUST

Non, la dernière de la fois d'avant, qui, ensuite,
viendra après.

LUST

Ah! Très bien! Voici : *(Elle lit.)* « Je m'assurai
enfin, par une exacte revue de mes notes et de mes
pensées, que l'erreur unanime des philosophes, tant
anciens que modernes, était enfin mise au jour et
facilement démontrable. »

FAUST

Parfait. Je poursuis. *(Il dicte.)* « Et c'est ainsi...
C'est ainsi que... Non. Pas de que... c'est ainsi, au

cours des années 45 et 46, pendant un séjour à
Basilée (B-A-S-I-L-É-E) comme j'habitais fami-
lièrement... »

LUST

Familialement?

FAUST

Famili...è...re...ment « chez une veuve triste... »

LUST

Pauvre femme! Une veuve triste!

FAUST

Pardon... Je me trompe; mettez : « chez une
veuve jeune... »

LUST

Oh! Triste était mieux...

FAUST

« Jeune, triste... »

LUST

Ah! Tout alors!

FAUST

« Jeune, triste et ardente... et ardente... » Mais
écrivez donc.

LUST

Oui. Oui... Voilà... C'est écrit. C'était écrit!

FAUST

« dont la jeunesse, la tristesse et l'ardeur, et
l'ardeur... me faisaient la maison... la maison...
très... »

LUST

Très quoi?

FAUST

« très agréable... très aimable... Mettons : très agréable... »

LUST

« Mettons », non, c'est vous qui mettez. Moi, j'écris...

FAUST

« très agréable, que j'eus l'honneur de concevoir... »

LUST

Vous?

FAUST

Mais vous m'interrompez tout le temps! Écrivez donc! « que j'eus l'honneur de concevoir le principe de ce Traité de la Subtilité, dont l'illustre Cardan... (C-A-R-D-A-N) ».

LUST

Je sais...

FAUST

« dont l'illustre Cardan m'avait, quelques années avant, volé le titre... »

LUST

Volé avant?

FAUST

Mais oui... Dans le monde de l'esprit, ces choses-là arrivent. Ce qui n'empêche pas que l'on vole aussi après. L'esprit vole où il peut.

LUST

Mais la veuve?

FAUST

Attendez que je tisonne un peu mes souvenirs... Voilà. Je poursuis. *(Il dicte.)* « Un soir d'hiver, comme devant le grand feu... le grand feu... je méditais en regardant la flamme... la flamme... et en caressant distraitement... »

LUST

Distraitement?

FAUST

« Distraitement... »

LUST

Vous ne pouvez donc pas réfléchir sans cela? Je vous ai conseillé un chat.

FAUST

Allez, allez. *(Il dicte.)* « ... en caressant distraitement la personne que j'ai dite, et qui s'était assoupie... »

LUST

Accroupie?

FAUST

Assoupie... « Assou...pi...e sur mes genoux... »

LUST

Comme vos phrases sont longues... Cette veuve n'en finira donc jamais...

FAUST

C'est insupportable... Vous me coupez à chaque instant, Mademoiselle. Le fil se rompt. Je suis obligé de vous demander de relire toute cette phrase. Elle doit être longue, devant être complexe.

LUST

Ah! Je le vois bien qu'elle est complexe! *(Elle lit.)* « Un soir d'hiver, comme devant le grand feu, je méditais en regardant la flamme, et en caressant distraitement la personne que j'ai dite, et qui s'était assoupie sur mes genoux... »

FAUST *(dictant)*

« L'idée me vint... qu'il y avait... entre toutes ces choses présentes..., ce feu..., ce froid..., cette couleur du jour..., cette... tendre... forme d'équilibre dans... dans l'abandon... le plus... aimable..., les sentiments... vagues qui vivaient doucement dans l'ombre... de mon esprit..., et... d'autre part... d'autre part... mon abstraite pensée... une relation profonde... et certaine... qui s'étendait aussi à mon passé... et sans doute... à ce qui pouvait ad...ve...nir... advenir... »

LUST

Et qui advint, n'est-ce-pas? Dites-le tout de suite...

FAUST *(dictant)*

« une relation, un accord, que personne jusque-là

n'avait su... su saisir et dont j'aperçus, dans l'instant même, la racine, la formule et la portée... »

LUST

C'est fini?... On n'y voit plus... Je n'y vois plus, moi...

FAUST

Quelques mots encore, et c'est fini. *(Il dicte.)* « Si grande alors fut ma joie..., si certaine ma victoire... si heureuse la conclusion inattendue d'une longue et difficile partie..., jouée... contre... l'infirmité de la pensée..., gagnée... avec le gracieux concours du hasard, que... que... »

LUST *(anxieusement)*

Que quoi?

FAUST *(vivement et se levant)*

« Que, baisant à pleine bouche la personne que j'ai dite, je dus prendre avant toute chose, et sans autres formes ni paroles, je ne sais quelle revanche furieuse dans l'amour, contre tant de bonheur spirituel brusquement accordé, après tant de... »

LUST *(fondant en larmes)*

Ah non... Non, je n'en puis plus... Je ne peux plus écrire... Trop fatiguée... trop trop... fa...ti...guée. Et vous allez si vite!

FAUST

Oh... Lust, TU n'es pas bien?

LUST

Pas bien... Pas bien du tout... Cette phrase était

si longue... Si complexe... Et puis... cette veuve...
Elle était charmante... N'est-ce pas ?

FAUST

Sans doute... Mais... Elle n'a jamais existé.

LUST

La veuve ? C'est vrai ?

FAUST

Jamais. C'est de la littérature... de l'art... pur.
Vous sentez tout l'intérêt qu'il y a à introduire dans
le récit aride d'une découverte métaphysique, un
petit peu de vérité... seconde, un rien de vie, de
chair... vive ?...

LUST

Ah oui... Si elle n'a pas existé, c'est bien plus
joli... C'est de la création.

FAUST

Justement. J'ai mis la veuve pour l'effet. Comme
un peintre qui met une rose sur sa toile, parce qu'il
a besoin d'une rose. C'est pour l'effet... Et pour les
historiens. Je vous ai dit et redit que ces Mémoires
ne sont pas des souvenirs, et que je tiens ce que
j'imagine pour aussi digne d'être MOI que ce qui
fut, et dont je doute... D'ailleurs, les souvenirs tels
quels n'ont jamais aucun intérêt... Mais les
Mémoires !... Allons, petite Lust, je vous ai bien
fatiguée ?

LUST

Mais non, Maître...

FAUST

Mais si, mais si... Allons, reposons-nous... Viens faire un tour dans le jardin que la nuit déjà brouille, et dont les ténèbres et les arbres nous attirent là-bas à leur douceur confuse...

LUST

Avec joie... Mais j'ai une soif!... Permettez-moi de cueillir d'abord cette belle pêche... *(Elle cueille le fruit, y mord, le tend mordu à Faust.)* Oh! qu'elle est bonne, et puis... elle est à vous... Et puis, encore à moi...

> *(Faust la prend, y mord, la rend et regarde Lust. Elle lui prend le bras, ils sortent par la gauche.)*

SCÈNE SIXIÈME

MÉPHISTOPHÉLÈS *(en vert serpent. Il tombe de l'arbre)*

Frouitt... frou...itt! Encore une affaire de Frruitt... C'est une reprise... Et jamais personne n'a idée de m'offrir à moi la moindre pomme, pêche ou poire! Je suis un vieil ami des Arbres, mais j'ai beau rôder parmi eux, je n'ai pas encore trouvé l'arbre de la Reconnaissance. L'ingratitude envers le Diable est de rigueur. Bah! Tous les fruits sont fruits amers, et qui croit mordre douce pulpe est soi-même mordu au cœur. Tout est poison dans la nature : il n'est zéphir, parfum, ruisseau où je ne flotte ou ne murmure. Amour serait sans moi lueur brève, acte bête. J'y mets tout ce qu'il faut d'ombre et de profondeur, perspective d'enfer, crainte, haine, remords, pour en faire, y mêlant des rêves et des doutes, une merveilleuse variété. Que serait-il, Amour, sans le Serpent qui parle? Une monotone et périodique combinaison des sexes selon l'histoire naturelle... Fi! Quelle sainte et sotte simplicité! Mais, mon FAUST, je n'ai pas soufflé mot, cette fois-ci. Le reptile discret a laissé le jardin, les aromes, le soir, et le seul voisinage d'une chair et d'une autre agir, selon l'éternelle formule. Que dictera cette tendre dictée? Je me sens friand de la suite. Le plus sûr moyen de la connaître, c'est encore de la ménager soi-même. La poulette est bien prise. Mais le galant n'est plus très vif. Passe encore de dicter... Passe encore de mentir, car cette veuve ardente a fort ardemment existé. Je crois même, car j'en suis sûr, et bien placé pour l'être, qu'elle a depuis terriblement changé de feux... Ha ha! Jeune, chaude et triste... Quelle certitude!... Ha ha! Érôs énergumène... Prenez garde à l'Amour... Amour, amour... Hi hi hi! Convulsion grossière... ha ha ha!...

RIDEAU

ACTE TROISIÈME

*La bibliothèque du Docteur Faust
aux murs couverts de livres.*

SCÈNE PREMIÈRE

LE DISCIPLE, BÉLIAL, ASTAROTH, GOUNGOUNE

*(Au lever du rideau, les Trois Diables, masques
d'animaux hideux, sont bizarrement placés dans le
décor. Goungoune incube-succube, paré, fardé, perruque
dorée, lèvres énormes couleur de feu, est dressé sur un
escabeau, feuilletant un livre. Le Disciple dort, la tête
dans un in-folio ouvert sur une table à droite. La scène
n'est éclairée que par une flamme livide à brusques
éclats verts et pourpres.)*

BÉLIAL

As-tu fini de grincer, as-tu fini?

ASTAROTH

Je m'ennuie, je m'ennuie... Oh! que je m'ennuie!... Krèk, krèk. *(Il trépigne.)*

BÉLIAL

Crin, crin, sale requin... Grince, grince de tes

dents vertes tout agacées. On dirait que tu broies
éternellement du sable de sablier...

ASTAROTH

Je ronge, je rogne, je lime, j'effrite . Tout
m'ennuie, l'ennui me ronge... Krèk, krèk...

BÉLIAL

Oh! ce crin, crin... Qu'est-ce que tu ronges?

ASTAROTH

Tout... Les cœurs, les corps, les gloires, les races,
les roches, — le Temps lui-même... Je mets en
poudre... Krèk, krèk...

BÉLIAL

Chacun son goût... Tu ronges, moi, je souille!...

ASTAROTH

Pouah! Et qu'est-ce que tu souilles?

BÉLIAL

Tout. Je rends toutes choses ordures. Tu gri-
gnotes, mais je dégrade. J'infecte les pensées. Je
salis les regards. J'envenime les mots. Je fais la
vérité, ou hideuse ou obscène, et qui cherche le
vrai, me trouve. Je suis le vrai du vrai...

ASTAROTH

Il trouve un sale Diable au fond de sa
recherche...

BÉLIAL

Ignoble RONGE-TOUT, je choisis, Moi!... Ce
qu'il y a de plus pur, c'est là ce qui m'attire...

L'innocence est mon lot ; l'immaculé m'enivre... Oh
que le lys me plaît, que l'hermine m'est chère !
Toute candeur expose un espoir d'immondice...

ASTAROTH

O Poète, tu baves...

GOUNGOUNE

Assez... gueules infâmes... Vous m'empêchez
d'entendre ce que je lis...

ASTAROTH

Qu'est-ce que tu fais, là-haut, double catin ?

GOUNGOUNE

Je cherche des sujets de rêves... Il y a parfois des
idées bonnes dans les livres.

BÉLIAL

Vieux Double-Six, tu as donc besoin de leçons ?

ASTAROTH

Laisse-le donc ou laisse-la donc. On ne sait
jamais à quel genre l'on parle, avec cette gouape à
deux fins.

GOUNGOUNE

Rat, Bouche de rat, ronge ta langue !... Je suis,
toutes les nuits, la plus belle affaire du monde,
garce idéale ou bélier monstrueux.

BÉLIAL

Bah !... Nous aussi, nous travaillons dans le
nocturne !...

ASTAROTH

Moi, je hante...

BÉLIAL

Moi, je tente...

GOUNGOUNE

Moi, je hante et je tente et j'enchante... J'attise, je souffle, j'embrase et j'enlace... Oui, monstres, quand je me forme et me condense en pleine et fraîche fille nue, et me glisse le long d'un jeune homme qui dort, je lui ménage un songe si ardent, un accès si aigu qu'il poursuivra toute sa vie, de femme en femme, sans les joindre, l'être illusoire et le délice trop réel que j'ai distillés de son sang et dégagés de sa candeur...

BÉLIAL

Eh bien, descends de ton perchoir, pâle succube!... Tu as là un dormeur tout chaud... Viens chatouiller ce tas ronflant de vie humaine...

GOUNGOUNE

Qu'est-ce qu'il fait là?

ASTAROTH

Il dort... Quelle merveille!... Dormir... Qu'est-ce que c'est? Ce doit être une récompense suprême... Dormir, dormir, quel rêve!

GOUNGOUNE

Il est assez beau garçon. Tout jeune... Quel bon sommeil!... Comme il se fie à la nature, et comme l'innocence, l'oubli, l'abandon primitif, la confiance dans la durée, sont à l'aise sur ce visage...

ASTAROTH

Comme si nous n'existions pas...

BÉLIAL

Allons, épouse-moi ça!... Brise-le-moi de leur
plaisir mortel!...

GOUNGOUNE

Quel dommage!

ASTAROTH

Halte-là!... N'y touche pas!... C'est le Grand
Bouc qui l'a aplati sur ce gros livre, avec un ordre
magique de dormir jusqu'au moment qu'il le
réveillera...

BÉLIAL

Alors, la paix! Si le Grand Bouc a son idée...

ASTAROTH

Méphistophélès sait ce qu'il fait. Tu ne veux pas
qu'il t'explique ses affaires...

BÉLIAL

Nous ne sommes que ses bêtes... Toi qui est si
malin à force de ronger de tout, tu comprends
peut-être ce qu'on fait ici...

ASTAROTH

On fait ce qu'on est. Chacun son truc. Je ronge,
tu souilles, il ou elle fornique... Nous tentons, vous
hantez; on grouille...

BÉLIAL

Et puis... On est mieux ici qu'en bas, au fond...
Au fond du fond de... l'Abîme...

TOUS

(Avec horreur.) L'Abîme!... *(Un temps.)*
L'Abîme... L'A-bî-me... *(Ils tremblent.)*

GOUNGOUNE

Et puis, ici, on voit des gens vivants... On
s'intéresse. Ces êtres-là ont l'amour. Amour, sommeil, merveilles!... Ils ont tout, ces porcs de
vivants...

BÉLIAL

Ils ont la mort aussi...

GOUNGOUNE

Mais ils ont l'amour.

ASTAROTH

L'amour, cette saleté! Moi je le ronge de
dégoûts, de dangers et de doutes... Krèk, krèk, je
rogne le charme, je mine le désir...

BÉLIAL

Mais moi, je l'infecte et je l'exaspère. Tu le rends
triste et je le rends fou... Je l'empoisonne. Il se
déchire, il se dévore, il tue...

GOUNGOUNE

Mais vous ne savez rien, vous autres!... Rien de
rien... Vous en savez moins encore sur l'Amour que
ces vivants idiots qui le vivent... Moi, je sais...

ASTAROTH

Qu'est-ce donc que tu sais, double Cocotte?

GOUNGOUNE

Ce qu'on sait quand on triche. Je lis dans les

deux jeux. Succube, Incube, je sais tout de l'amour.
Écoute ma chanson : Je fais l'homme ou la femme,
j'agis ou je subis ; je donne ou je reçois, et deviens à
mon gré le dessus, le dessous du jeu de s'entr'aimer...
Je trahis tour à tour la maîtresse et l'amant. Je
connais de leurs sens toute la différence, et nul
autre que moi ne lit dans les deux cœurs du
monstre à double tête, formé d'amants unis qui
tendrement s'ignorent... J'use, sous le sommeil,
d'une toute-puissance. Par l'abandon de l'être au
bonheur de dormir, la raison, les vertus se sont
évanouies et la chair livre l'âme à mes forces
charmantes. J'y glisse une langueur qui gagne et
qui se change en angoisse délicieuse. L'être halète,
il soupire, et ses lèvres qui se tendent balbutient...
Alors, je lui murmure au profond de l'esprit
quelques formules de perdition, divers germes de
mort... Car tout amour contient du malheur qui
mûrit, et les nœuds les plus doux se font nœuds de
serpents... Chaque sexe craint l'autre, et lui attribue
un mystère... Ha ! Ha... Ha ! *(Elle rit.)* Un mystère !

BÉLIAL

Ces espèces d'incarnés se régalent d'énigmes...

ASTAROTH

S'ils se doutaient que les esprits ne savent rien...

BÉLIAL

Nous ne sommes que des bêtes... Nous sommes
tous des innocents...

ASTAROTH

Des purs... Il n'y a de purs que l'ange et que la
bête... Tous ces humains sont des métis...

BÉLIAL

Des mêlés... Ils ont de la chair et des idées... La panse qui pense...

GOUNGOUNE

S'il n'y avait que la panse...

ASTAROTH

Il y a aussi la réjouissance, les bas morceaux... Je hais!... Krèk, krèk...

BÉLIAL

Grince, grince!... Moi aussi, je hais!... Je salis, je pourris, je fais tourner le lait, le sang, la bile...

GOUNGOUNE

Et moi, je hais, je hais dessus, je hais dessous!... Je fais les mains tremblantes, les jambes molles, les cœurs serrés, brisés...

ENSEMBLE

Je hais!... Haïr, c'est vivre, nous!

(Ici, le Disciple soupire et remue.)

BÉLIAL

Hop! Cette fange bouge... Un bonhomme se forme...

GOUNGOUNE

Ma présence déjà vaguement l'inquiète... Regarde : je l'influence. *(Elle s'approche, en ondulant, de lui, et lui souffle dans les cheveux; il s'agite et balbutie.)* Tu vois? Il respire tout autrement, son visage se colore. Tout en lui s'oriente vers le

fantôme qui se forme de ses forces. Ses mains
cherchent et son âme croit saisir. Faut-il l'amuser
plus avant? Il se charge d'amour peu à peu... Mais
je ne suis ici que pour la demoiselle... Je lui ai
faufilé de bien jolis rêves, cette nuit, à cette tendre
vierge...

BÉLIAL

Vierge?

GOUNGOUNE

Vierge? Oui. Vierge au regard des tiers... Mais la
tête est putain.

ASTAROTH

Assez parlé, Goungoune... Je m'ennuie, je m'ennuie... Krèk, krèk, je rogne tes ragots... Fais-nous
frémir, gémir, geindre et se tordre ce pantin.

BÉLIAL

Pas de ça, hein!... Gare si tu l'éveilles!... Le
Grand Bouc le tient là, tout chaud, pour quelque
office.

ASTAROTH

Alors, tant pis... Le Grand Bouc a son idée sur
cette maison. *(Très bas.)* Tu sais qu'il a eu jadis des
ennuis avec l'Homme d'ici. Il l'a manqué, sais-tu?

BÉLIAL

(Bas.) Penses-tu qu'il ait trouvé plus malin que
lui?

ASTAROTH

Chut... *(Très bas.)* Pourquoi pas? *(Un silence.)*

GOUNGOUNE

Et il n'aime pas manquer les gros coups, le Bouc. Quand on s'est réservé tout l'honneur de l'Abîme, et qu'on se fait baiser la fesse par tout ce qui fut de plus éminent et excellent sur la terre...! Mais l'Homme d'ici est comme un peu autre chose qu'un homme, sais-tu?

ASTAROTH ET BÉLIAL

Chut, chut... Silence... Ça sent le Bouc...

GOUNGOUNE

Tant pis... Dommage... Voyez comme il dort bien, l'enfant!... Comme il est frais!... Il me fait hésiter entre mes deux espèces... Tenez, tenez, à peine, je le frôle... Rien ne se passe encore, et la simplicité du plein sommeil qui l'enveloppe demeure intacte!... Innocent, mon chéri, je vais charmer ton beau dormir... Je vois ton amoureux destin qui vient chargé de vie, au fil du riche fleuve de ton sang... Innocent, mon petit, déjà tu n'es plus tout à fait le même... Tu n'es plus ce néant animal qui respire sans être... Tu te sens devenir... Tu deviens un besoin de bonheur... Vois, comme je suis belle... Fraîche est toute ma chair. Douce est toute ma peau... Touche-moi... Touche-la... Est-ce que tu comprends, petite bête?... Là... Et là... et ici...

(Elle l'environne de gestes caressants. Il se dresse à demi, les yeux fermés, les mains égarées dans l'espace et balbutie.)

LE DISCIPLE

Oh! oui... Très drôle... Quoi? Quoi? Tata... Du bonbon, ton bonbon! Oh... Très bon... Oh la la...

(On entend un très fort claquement de fouet.)

LES DÉMONS

Le Bouc!

SCÈNE DEUXIÈME

LES MÊMES, MÉPHISTOPHÉLÈS
(un fouet à la main)

*(Il apparaît. Les Démons se rétractent vers les murs
et se prosternent.)*

MÉPHISTOPHÉLÈS

Brutes, que faites-vous de mes commandements?
(Au Disciple.) Larve, rentre au néant, retombe
dans l'absence. *(Geste. Le Disciple s'aplatit sur le
gros livre.)* Tristes brutes incorporelles, vermine de
la fange du feu éternel, vous, mes sombres suppôts,
valets ignobles du bourreau que je suis.

LES DÉMONS, *ensemble.*

Satan, ayez pitié de nous;
Prince du Mal, écoutez-nous;
Cœur de l'Abîme, épargnez-nous!

MÉPHISTOPHÉLÈS

Ô vulgaire de la géhenne, excréments des
ténèbres, avez-vous oublié qu'il n'y a point dans
l'enfer place pour des rebelles?

LES DÉMONS

Satan, Satan, ayez pitié de nous!

MÉPHISTOPHÉLÈS

Abominables chiens, vous tremblez à présent...

LES DÉMONS *(psalmodiant tour à tour)*

Cœur de l'Abîme!
Arche de Haine!
Puits du Mensonge!
Ombre du Vrai!

MÉPHISTOPHÉLÈS *(claquement de fouet)*

Silence! Assez de cette infâme parodie!...
Lâches, je serais Ange encore si j'avais pu m'apla-
tir comme vous!... Ah! quel châtiment que vous
avoir pour ministres de mes œuvres, ignobles
monstres!... Vous êtes laids!... Quel dégoût! Je suis
excédé de cette monotone besogne de damnation
qui m'accouple, moi, pour l'éternité, à vos museaux
hideux, blasphèmes figurés, instruments d'épou-
vante par qui s'exerce toute la bassesse de la Très
Haute Justice. Ô misère!... Je fais toujours la même
chose... Heureux l'Homme vivant, il va du Bien au
Mal, du Mal au Bien, il se meut entre la lumière et
les ténèbres; il adore, il renie; il parcourt toutes les
valeurs que la chair et l'esprit, les instincts, la
raison, les doutes, les hasards introduisent dans son
absurde destinée. Il peut gagner ou perdre... Mais
MOI!... Être le Diable est pauvre!... *(Les Démons
rient.)* Vous riez, sale meute, féaux abjects. Riez,
riez!... *(Il les fouaille de son fouet à neuf queues.)*
Riez, riez, roulez ce rire noir, chargé d'un bruit de
chaînes... Que ne puis-je vous détruire, et moi-
même!... *(A Astaroth.)* Qu'est-ce que tu mar-
monnes, gueule d'ombre puante?

ASTAROTH

Monseigneur, nous vous baisons, selon le rite, et l'une et l'autre fesse, et vous offrons respectueusement l'hommage de nos pires exhalaisons. Recevez notre encens. Humblement assemblés à vos ordres, notre stupidité attend de Votre Insigne Malveillance ce qu'Elle condescendra à nous prescrire en vue de l'accomplissement de nos malices, vilenies, dommages et perturbations intestines généralement quelconques dans ce logis... Krèk, krèk...

MÉPHISTOPHÉLÈS

Assez... Assez grincé, mal graissé. Tu crisses vraiment trop... Tu rognerais le Diable... Vas-tu réduire en poudre la substance de l'Éternité?

BÉLIAL

Bravo!... Bien dit.

MÉPHISTOPHÉLÈS

Silence, porc!... Je ne souffre d'être loué que par des hommes, — et les plus hauts d'entre eux, seuls, savent parler de moi... Donc, silence! Écoutez et tremblez!... Ici vit et se moque de l'Enfer un certain Faust... Celui-ci me regarde : il est trop fort pour vous, racaille... Occupez-vous de la maison. Que l'inquiétude y trouve sa demeure. Qu'il y ait de l'angoisse dans l'air, dans l'ombre; du gémissement dans les meubles, du frisson dans les tentures; que la lumière palpite étrangement dans les lampes, et qu'une présence inexplicable et effrayante se fasse sentir en toutes choses du logis. Quant à toi, Goungoune, le garçon qui est là et la fille qui vient, je te les livre. Je veux les voir, demain, dès le jour,

subornés. Il me les faut, l'un et l'autre, engagés
dans les voies de leur chair, toute gonflée des plus
âcres poisons de la luxure. Travaille-leur la fibre.
Ensemence d'amour leur faiblesse nocturne. Orga-
nise leurs songes. Gonfle d'espoir confus leurs
cœurs trop pleins de forces et fais qu'ils se
réveillent dans cet état d'imminence du désir et de
surabondance de tendresse qui fasse le moindre
incident les précipiter l'un sur l'autre. Tu sais
imiter le hasard. Tu te prendras tout à l'heure à ce
gamin, dont il faut à présent que je manœuvre un
peu la cervelle niaise. Quant à la fille, soigne-la... Il
y a un certain mystère dans cette dinde. Je vais lui
dire un mot...

> *(Il fait un signe ; les Démons se replacent,
> laissant libre le milieu de la scène.)*

SCÈNE TROISIÈME

LES MÊMES, LUST *(portant une lampe)*
*(Les Démons sont imperceptibles aux humains,
parlent, rient sans être entendus d'eux.)*

LUST

Un livre... Un livre pour ne pas penser... Un
livre, entre mon âme et moi... Mais quel livre, mon
cœur, quel livre, cette nuit, pourrait donc me
séduire à quelque autre vie que la mienne ? Quel
conte, quel roman, quand je ne fais qu'inventer
autant de bonheur, autant de malheur que je puis,
et trop vivre de tout mon être ces transports, ces

élans... ces chutes et rechutes de mon âme?... Ah, si
je savais ce qu'elle veut!...

> *(Ici, Méphistophélès, invisible, se place
> derrière elle.* ET ILS DISENT ENSEMBLE, *à
> demi-voix, les répliques désignées par le mot :*
> ENSEMBLE.*)*

ENSEMBLE

Tu le sais bien ce que tu veux. Tu le sais trop ce
que tu veux. Tu n'oses pas te dire ce que tu oses te
sentir tout près de faire...

LUST

Ô quelle voix me parle qui est la mienne et qui
me tourmente comme une autre... Je me retourne
dans le lit de mes pensées... Un livre, un livre, pour
ne pas m'entendre!... Mais il me semble que je ne
lirai jamais plus... Ô mon cœur, que me font tous
ces livres qui ne sont qu'esprit mort et choses qui
peuvent se dire?...

ENSEMBLE

Écoute, petite Moi... Écoute... Je suis la plus
sincère de tes voix! Écoute bien : je suis ta vérité, ta
voie et ta vie... Écoute, écoute, voici le bon
conseil...

LUST

O quelle voix me parle qui est la mienne et qui
me trouble?...

ENSEMBLE

Écoute, écoute, voici le seul conseil : AIME-
TOI!...

LUST

Ô mon cœur qui sait tout! Il bondit brusquement. Il s'arrête tout à coup, avant toute pensée...
Il est là, comme un poing serré qui tiendrait tout ce qui importe...

ENSEMBLE

AIME-TOI... AIME-TOI... AIME TOUS TES DÉSIRS !

> (*Ici, Méphistophélès se faisant visible passe devant Lust et la salue.*)

MÉPHISTOPHÉLÈS

Vous cherchiez un livre, ma chère Demoiselle, qui n'avez aucune envie de lire... *(Elle l'aperçoit, tressaille et recule.)* Vous avez bien raison. Tant d'autres choses peuvent se rêver. Tout ce qu'on peut écrire est niaiserie. Ce qui n'est pas ineffable n'a aucune importance... *(Elle recule.)* Vous avez toujours peur de moi?... Je puis faire peur, sans doute... Je vous l'ai même un peu montré... Mais je puis aussi vous rendre service. *(Elle lui tourne le dos.)* Tenez, vous ne savez pas ce que vous souhaitez... Moi j'y vois clair dans les ténèbres, comme les chats. Je débrouille... Je simplifie... Les gens ont peur de leurs idées... Ils ont peur d'aimer ce qu'ils aiment... Qu'allez-vous donc chercher un livre, et dans un livre, toutes les sottises d'autrui?... Lisez et relisez ce roman favori qui ne cesse, dans votre tête, de s'écrire, et de s'illustrer, de se refaire et parfaire, aussi vivant que vous-même... sinon davantage. Quant à la poésie, voilà dont vous n'avez aucun besoin... Toute votre personne est un poème. Dans vos yeux, sur votre visage, brille le feu lyrique, et l'ardente surabondance d'un sentiment souverain inspire à tout votre être la présence de l'extrême beauté. Vous êtes belle, belle !... *(Elle se cache le visage.)* Allez, ne voilez pas ce que le Diable admire... Acceptez les compliments d'un connaisseur tout désintéressé. Moi, je ne goûte que les Anges... Ils me troublent. *(Les Démons s'esclaffent.)*

LUST

Le Monstre !... Toujours là...

MÉPHISTOPHÉLÈS

Voyez, très pure enfant, comme je suis discret. Je vous dis que vous êtes au plus beau de vous-même, et je n'ai pas cherché, voulu chercher, ce qui vous embellit si pleinement. Vous savez bien pourtant que je lis à l'ombre de l'âme comme on lit une écriture à la lumière, et je sais que les vérités font peur d'abord à qui les forme en soi et qu'elles germent loin du jour... Mais ne tremblez donc pas... Qu'avez-vous ?

LUST *(a aperçu le Disciple endormi, tressaille, saisie d'effroi, et s'écrie :)*

Oh !... Un mort...

MÉPHISTOPHÉLÈS

Mort de sommeil. Il respire assez bien. Que ferais-je d'un mort ? Un défunt est pour moi une affaire finie... Non, ce n'est là qu'un aimable jeune homme, ici venu, comme vient un insecte à la flamme, venu puiser la lumière Faustienne à la source... Je crains que le Docteur ne l'ait à peu près éconduit, et par pure ou impure bienveillance, je l'ai retenu sous ce toit. Je voudrais l'introduire à la saine doctrine. Voyez déjà le fruit de mon enseignement : j'endors, comme un vrai Maître...

LUST

Le malheureux... Pourquoi est-il resté?... Si jeune!... Il est perdu... S'il savait, quel vampire...

MÉPHISTOPHÉLÈS

Le mot est faible.

LUST

Je vous hais, je vous hais!

MÉPHISTOPHÉLÈS

Me haïr... c'est m'aimer!

LUST

Dire que devant moi, vous l'Enfer... l'Esprit même du MAL...

MÉPHISTOPHÉLÈS

Il fallait bien quelqu'un pour cet office... Je suis une créature, comme vous.

LUST

Mon Dieu, mon Dieu!...

MÉPHISTOPHÉLÈS

Pas de gros mots!... N'est-il pas écrit que vous serez induits en tentation? Fais-je pas mon office? Fallait-il que le Créateur s'en chargeât? Et l'ordre n'exige-t-il pas quelques ministres assez noirs pour lui fournir la quantité d'horreur, de cruauté et de perfidie dont il a besoin pour éprouver, choisir,

punir?... Tant pis pour qui succombe!... Que serait
le mérite sans moi? Je suis tout le péril qu'il faut
pour faire un Juste.

ASTAROTH

Comme c'est intéressant!

BÉLIAL

Tu ne t'ennuies plus, hein? Il parle comme un
Ange.

LUST

Seigneur, Seigneur!...

MÉPHISTOPHÉLÈS

Il ne s'agit pas de dire : Seigneur, Seigneur...
Petite Lust, vous vous intéressez donc bien à ce
garçon?

LUST

Je ne le connais point. C'est vous que je connais.
Je tremble pour un être.

MÉPHISTOPHÉLÈS

Vous tremblez pour un inconnu?... Ha, ha...
Connaissez-le du moins. Donnez-moi votre lampe.
Regardez : je l'éclaire. Il est bien, n'est-ce pas? Il
vaut qu'on s'en occupe et qu'on le dispute au
Démon.

GOUNGOUNE

Quel maquereau!...

BÉLIAL

Ah! qu'il est malin, le Malin!

GOUNGOUNE

La garce. Elle y met les yeux. Voyez-moi cette innocence.

ASTAROTH

Et l'âme s'apprivoise... Hi hi...

LUST

Le pauvre enfant!... Si jeune!... Là, sans défense... Il faut l'avertir... *(Elle crie.)* Monsieur, Monsieur, éveillez-vous! Monsieur!...

MÉPHISTOPHÉLÈS

Inutile. Il dort à ma façon. Le tonnerre, à présent, lui serait à peine un murmure sans cause... Mais, dès demain matin, vous le retrouverez bien éveillé. Vous verrez comme il est gentil, et frais, et tendre. Voyez-moi ce front pur... On voudrait dormir comme lui... Avec lui... tout près de lui... trop près de lui...

LES DÉMONS

Dormir, dormir... Nous ne dormons jamais... Ah! Dormir!... Quel rêve!...

LUST

Que faire? Épargnez ce petit!

MÉPHISTOPHÉLÈS

Moi? Je n'ai pas le choix. Ne me prêtez pas les variations et caprices de la Toute-Puissance. Je suis plus absolu. Je suis le Mal tout pur, et j'ignore tous ces compromis, ces rachats, ces miséricordes, ces rémissions et ces grâces, qui, par LÀ-HAUT...

LUST

Oh, je sais trop!... Vous êtes l'implacable!... Je cours chercher le Maître... Lui seul pourrait agir...

MÉPHISTOPHÉLÈS

Ouais... Le Maître... ha, ha... Il s'étonnera peut-être de l'intérêt que vous portez à ce bachelier de passage, qui s'est implanté chez lui sans qu'il le sût. Faust n'est pas grand amateur de jeunesse; et puis, je me demande s'il goûtera beaucoup le généreux émoi de sa Demoiselle de Cristal pour le bel oiseau que voici... Il est vraiment assez joli garçon, le petit. *(Il l'éclaire. Jeu de lampe.)*

LUST

Ô monstre, monstre...

MÉPHISTOPHÉLÈS

Le métier avant tout, comme disait un pape.

BÉLIAL

Je le connais ce pape : il est dans la fosse BAAL.

MÉPHISTOPHÉLÈS

Mais... Vous êtes donc bien sûre de la perdition de cet amour d'enfant? Dites, Lust, le croyez-vous sans force contre moi? Peut-être songez-vous, sans vous en douter, qu'il pourrait être sans force contre vous? Hein? Contre vos yeux... hein?

ASTAROTH

Ho, le fameux serpent!... *(Les Démons rient bruyamment.)*

LUST

Il ne me connaît point. Il ne me verra point.

MÉPHISTOPHÉLÈS

Bah... Je puis bien vous présenter à lui dans quelque rêve... Et il vous reconnaîtrait au réveil. Hein? Il en serait bouleversé. Vous concevez?... Mais, quoi que je puisse faire, je ne puis pas entreprendre sur sa liberté... SUR SA LI-BER-TÉ!... Il est libre! Je vous dis qu'il est libre, LIBRE! Et moi, je suis dans les fers, je ne puis qu'essayer, éprouver... tenter, comme vous dites... Mais, jusqu'au point final, le choix vous appartient. Le TRÈS-HAUT a abandonné au TRÈS-BAS un droit de chasse dans l'évasive et flottante forêt du Libre-Arbitre. C'est une futaie enchantée et enchevêtrée, qui est en vous. J'y dispose mes pièges, j'y multiplie mes embûches, j'exploite les hasards... Et puis, j'ai le sommeil. Là, je travaille à l'aise. Point de pensée et pas de retenue. A la faveur de la toute faiblesse, je conspire avec les esprits de la chair. Je peins sur ténèbres les plus vives couleurs de la vie... Mais l'âme à son réveil... Elle peut m'échapper. C'est une lutte, Lust...

LUST

Quelle lutte... inégale!

MÉPHISTOPHÉLÈS

Sans doute. Belle comme vous êtes, Lust, vous êtes dans mon jeu. Ce sont les biens charmants que vous offrez aux yeux qui peuvent, jeune fleur, incliner un mortel au mal que je dois faire. Voyez comme je parle clair, moi que l'on dit Trompeur. Dites, soyez vous-même aussi franche que moi. *(Il la regarde fixement.)* Dites? Vous aimez Faust?

LUST

Aimer? Ce mot pour vous n'a qu'un sens... que j'ignore.

GOUNGOUNE

Ho! ho!

MÉPHISTOPHÉLÈS

Ho! ho!

LUST

Suis-je, ou ne suis-je pas transparente pour vous?

MÉPHISTOPHÉLÈS

Le Diable sera franc. Votre cœur m'embarrasse. Il m'intrigue parfois, comme parfois me déconcertent l'extrême intelligence et la lucidité excessive de Faust.

LUST

Mon cœur vous soit obscur!... Il me l'est à moi-même. Tout démon que vous êtes, vous n'y pouvez rien comprendre. Après tout, vous n'êtes que le Diable. Un déchu, un vaincu... Un plus faible, en somme! Un raté, un déchet, jeté dans les égouts de la création... Allez, méchant, vous ne pouvez rien sur mon cœur, vous n'y comprenez rien, rien, rien!... Il n'y a point de musique en vous... Ô mon cœur, tu te moques du mal... et même du bien... Mais vous!... Tu n'es qu'esprit!... Mais les Anges eux-mêmes, les Archanges fidèles, tous ces fils de lumière et ces puissances de ferveur ne peuvent pas comprendre... Ils sont purs, ils sont durs, ils sont forts. Mais la tendresse!... Que voulez-vous que des êtres éternels puissent sentir le prix d'un regard, d'un instant, tout le don de faiblesse... le don d'un bien qu'il faut saisir entre le naître et le mourir. Ils ne sont que lumière et tu n'es que ténèbres... Mais moi, mais nous, nous portons nos clartés et nous portons nos ombres... Je vous le dis, Enfer, l'Éternité m'est peu...

MÉPHISTOPHÉLÈS

Ta, ta, ta, vous vous trouverez bien sotte, à la fin, c'est-à-dire au grand commencement... Les esprits ne sont pas si bêtes que vous croyez, ni les Anges si insensibles... Que pensez-vous tirer de notre Faust? Il est plus froid que moi... S'il eût un rien de cœur, ma belle, il se serait ou sauvé ou perdu. Mais, enfin, l'aimez-vous?

LUST

Le sais-je?... Son absence m'est présence, et sa présence me saisit toujours comme une chose impossible. S'il est là, près de moi, ce n'est presque plus lui, puisque le voir, c'est ne plus y penser. Je suis comme moins avec lui...

GOUNGOUNE

Petite putain, je la connais ta façon de penser à lui en son absence.

MÉPHISTOPHÉLÈS

Dites!... La pêche partagée était délicieuse, n'est-ce pas?

LUST

Pourquoi me demandez-vous cela?

MÉPHISTOPHÉLÈS

Elle était de mon verger...

LUST, *bas.*

Elle était presque trop bonne. *(On frappe.)*

MÉPHISTOPHÉLÈS

Je voulais vous le faire dire. Ou bien vous auriez menti... *(On frappe.)*

SCÈNE QUATRIÈME

LES MÊMES, LE SERVITEUR *(il porte un flambeau)*

LE SERVITEUR

Je vous demande pardon, Mademoiselle. Pardon, Monsieur. C'est pour mon service.

LUST

Qu'est-ce qu'il y a?

LE SERVITEUR

Il y a... Qu'est-ce qu'il y a?... Oui, qu'est-ce qu'il y a?... C'est que je m'embrouille... Il y a que je m'embrouille... Ma tête s'embrouille... Voyons, voyons!... *(Les Démons se moquent de lui, grimacent et gambadent.)* J'ai l'impression depuis ces jours-ci que la maison est pleine d'araignées... J'ai les idées pleines de fils... Je ne puis pas penser à rien sans penser à tout, ni à quelque chose sans penser à rien... C'est curieux. *(Il aperçoit le Disciple.)* Tiens, encore quelqu'un... Voyons, voyons, ça m'embrouille. Je m'embrouille. C'est que je viens de faire la chambre rouge pour Monsieur, j'ai préparé un bon feu.

MÉPHISTOPHÉLÈS

Inutile.

LE SERVITEUR

Et voici un autre Monsieur? Où le mettre? C'est qu'il dort déjà...

MÉPHISTOPHÉLÈS

Avec moi. La nuit, tout seul, j'ai peur.

(*Les Démons rient aux éclats.*)

LE SERVITEUR

De quoi, Monsieur? Moi, je n'ai peur que de ma tête... Voyons, voyons... On n'a jamais à craindre que sa tête. Enfin, si Monsieur veut prendre ce Monsieur avec soi, tout s'arrange. Je respire. Car depuis toujours ces jours-ci, rien ne s'arrange plus ici... Je veux en parler respectueusement à monsieur le Professeur, mais je n'ose pas... Il vous regarde avec ses riches yeux qui rendent pauvre et bête... Je deviens une bestiole, un caniche quand il me regarde.

LUST

Mais enfin, qu'est-ce qui se passe?

LE SERVITEUR

Mademoiselle, je suis très observateur, et puis, je fais mes petites réflexions. On a beau être un employé, on a son jugement et même ses persuasions. Oui... attendez... Je m'embrouille; je m'em-

brouille... *(Les Démons rient très bruyamment.)* Oh!
quel vent... voyons, voyons... Ah! Voici les faits.
Tous les matins, tous les matins, depuis toujours
ces jours-ci, j'observe un cas extraordinaire. Figu-
rez-vous, je suis là, à l'office, à faire chauffer mon
lait... Hein? Bon. Eh bien, qu'est-ce qui arrive? A
l'instant même... Hein? A l'instant même que le lait
va bouillir, je suis victime d'une petite distraction
de rien du tout, et pfouff! mon lait, pfouff! dans le
feu... ça, tous les jours... Je sais, je suis sûr que cela
va arriver... Je ne le quitte pas des yeux, je le
guette, je lui parle... Je lui dis : Attends, attends...
Hein? Bon! Ah bah!... Il s'en moque. Au moment
juste, il monte; je vas le tirer... Hein? Crac! Une
idée passe par là... Je ne sais pas comme elle trouve
la place de passer entre mes yeux qui guettent et
moi tout prêt à tirer la casserole?... Bref, crac,
l'idée!... Et pfouff!... Mon lait bouillant fiche son
camp comme s'il avait le diable à ses trousses.

BÉLIAL

Le Diable, Présent!

(Tous les Démons se tordent et crient : Pfouff!*)*

MÉPHISTOPHÉLÈS

Évidemment. C'est l'âme du lait.

LE SERVITEUR

Monsieur croit?... C'est sûrement cela. C'est
l'âme du lait. Je me permets de m'approprier cette
opinion. Je n'ai pas fini mes classes, moi. Mais je
suis très observateur, et je vois bien que Monsieur
est très au courant de tout ce qui se passe de
travers. Oui, Monsieur, il y a certainement dans
toutes les affaires, un rien de temps, un tout petit

temps, un rien de rien de temps de démon, juste ce
qu'il faut pour lâcher une sottise que l'on gardait
bien sagement en soi, bien à part, bien surveillée
jusque-là... Oh, on était bien sûr qu'on ne la ferait
pas, bien sûr... On avait l'œil dessus, parbleu!... Et
puis, pfouff. Cela bout, bondit, déborde et tout le
lait de l'innocence s'ensauve dans les charbons...
(Les Démons rient.) Mais quel vent ce soir!
Entendez-moi ce vent du diable... Oui, c'est pourtant comme cela que des braves gens se trouvent
des fois changés en criminels, sans savoir comment
ni pourquoi. Il leur arrive dans la tête un rien de
rien de temps de démon, et crac!... La sottise est
faite, avant qu'on l'ait faite... Et qui l'a faite?
Personne. Et pourtant les voilà frits... Ils se
réveillent en plein malheur...

MÉPHISTOPHÉLÈS

Parfois heureux.

LE SERVITEUR

Toujours penauds, Monsieur... Mais n'est-ce pas
ainsi que nous sommes tous, plus ou moins... mis
au monde? Un rien de temps de démon...

MÉPHISTOPHÉLÈS

Et nous voilà conçus...

GOUNGOUNE

Convulsion grossière! Pfouff!... *(Tous les Démons,
en chœur : Pfouff.)*

LE SERVITEUR

Si Mademoiselle veut bien venir? Je crois que
monsieur le Professeur lui a donné ses ordres pour

la table. Demain, c'est le jour de marché et la cuisinière part dès le petit matin.

LUST

Je viens.

(Elle sort vivement, suivie par le Serviteur, qui lui ouvre la porte du fond et s'efface. Au moment qu'il va passer à son tour, BÉLIAL bondit après lui, souffle sa lampe. Ténèbres.)

LE SERVITEUR

Voyons!... Voyons!

LES DÉMONS

A nous!... A nous!... Tohu-bohu!...

MÉPHISTOPHÉLÈS *(d'une voix tonnante)*

Hella! hella! Discorde!... Hella! Désordre!... Outoum botoum!...

LES DÉMONS

A nous! A nous!... Tohu-bohu!...

(Grand vacarme, rires, cris, gémissements dans le noir.)

SCÈNE CINQUIÈME

MÉPHISTOPHÉLÈS, LE DISCIPLE
toujours endormi, le front sur un gros livre)

MÉPHISTOPHÉLÈS *(assis à la turque sur la table)*

La Lust cherchait un livre. Un livre pour ne pas penser... Penser, c'est ce qu'ils font quand ils ne

font rien... C'est une fille étrange. Penser à qui?
A quoi? A Faust? A Faust, pour le plaisir? A
Faust, dans l'abandon, et puis dans la convulsion
de l'amour? Non. Non. Elle est une fille trop
étrange... *(Il se lève très agité.)* Je ne vois pas ce
qu'elle veut de Faust. Entre homme et femme, il
n'y a pas trois possibilités. Elle ne sait pas elle-
même. Aussitôt je le saurais. Mais elle ne sait pas :
donc, elle m'est obscure. Je suis l'être sans chair,
qui ne dort, ni ne pense. Dès que ces pauvres fous
s'éloignent de l'instinct, je m'égare dans le caprice,
l'inutilité ou la profondeur de ces irritations de
leurs têtes, qu'ils nomment des « idées »... Je me
perds dans ce Faust, qui me semble parfois me
comprendre tout autrement qu'il le faudrait,
comme s'il y avait un autre monde que l'autre
monde!... C'est ici qu'il s'enferme et s'amuse avec
ce qu'il y a dans la cervelle, et qu'il brasse et
rumine ce mélange de ce qu'il sait avec ce qu'il
ignore, qu'ils appellent Pensée... Elle cherchait un
livre. Un livre pour ne pas penser... Il s'agit bien de
penser... Elle ne sait ce qu'elle veut, et le veut de
toutes ses forces. Ce qu'elle veut la consume...
Serait-ce quelque feu que je ne connais point? Je
m'y perds... Je me perds dans l'esprit de Faust,
dans l'âme de Lust... Perdition du Diable... Je ne
sais pas penser et je n'ai pas d'âme : c'est pourquoi... moi, je ne connais que mon devoir... A
l'autre, maintenant... Au plus simple... *(Il fait des
gestes magiques sur le dormeur.)* Hopp!... Herrès...
Hopp! Reviens... Renais... Revis... Reprends des
mains, des yeux, des lèvres... Je brise la sphère
d'ombre du sommeil... Forces, rassemblez-vous...
Étincelle du Vrai, rallume ce nigaud!... Herrès...
Hopp!...

LE DISCIPLE *(s'étire et bâille, ouvre de grands yeux.*
Le lustre de cuivre s'allume.)

Aâ... Aâ... *(Il bâille.)* Que de bouquins... Je n'ai
jamais tant lu... u... Ouf... *(Il aperçoit Méphistophé-*
lès.) Tiens, vous êtes encore là?... Je vous quitte, et
par le fait même que je vous quitte, je vous
retrouve... C'est drôle... C'est que je dormais, sans
doute, et que je rêvais de vous.

MÉPHISTOPHÉLÈS

Non... Vous lisiez. Seulement, vous lisiez de trop
près, le nez dans cette prose épaisse.

LE DISCIPLE

Le nez?... Ma foi, la lecture, après tout, ce n'est
qu'un va-et-vient du nez, qui chemine de gauche à
droite et vole de droite à gauche... L'auteur mène
ce nez, qui ne suit pas toujours... Mais, lecture ou
non, c'était palpitant. Je sors d'un poème, mon
cher, et non d'une pâteuse prose.

MÉPHISTOPHÉLÈS

La prose n'est jamais qu'un pis-aller, mon cher...
Et alors?

LE DISCIPLE

Alors?... Mais comment traduire un poème?
Comment dire?... Il n'y a pas de nom pour cette
douceur... Mais si neuve douceur qu'elle frôlait
quelquefois l'angoisse; mais délicieuse angoisse...
J'effleurais par instants un bonheur inouï avec la
sensation aiguë de m'élancer vers quelque extrême
de moi-même, vers je ne sais quelle mort incomparable qui se faisait exiger de plus en plus furieuse-

ment... Une mort par effusion... Non. C'est indes-
criptible. Je dis des choses absurdes...

MÉPHISTOPHÉLÈS

L'absurde a ses raisons, Monsieur, que la raison
soupçonne.

LE DISCIPLE

Et puis je m'égarais aussi dans un vertigineux
désordre d'approches tièdes ou fraîches, où les
mains que je croyais avoir trouvaient, tâtaient,
perdaient des fragments adorables, comme d'une
statue vivante et fuyante, d'une Vénus fondante...

MÉPHISTOPHÉLÈS

Bigre!... Prenez garde à l'amour... Ce n'étaient
point, j'espère, les quartiers d'une Jézabel... Votre
poème ne fut qu'une improvisation des jeunes
forces de votre âge. Tous ces membres charmants,
ces lambeaux précieux s'expliquent assez bien.
Tout ce songe est plein de promesses.

LE DISCIPLE *(déclamant)*

Et les fruits passeront la promesse des fleurs...

MÉPHISTOPHÉLÈS

Je l'espère bien. Ce sont là des avis de la bonne
nature. Elle en sait plus que Faust, mon jeune ami.
Et moi, qu'est-ce que je faisais dans ce carnage
tendre?

LE DISCIPLE

Vous?... C'est toute une histoire... Mais... Je
viens de la perdre. Ici, se rompt le fil, et ma
mémoire expire. Il me souvient seulement que vous

avez traversé la merveille au moment le plus
pathétique, et le réveil survint.

MÉPHISTOPHÉLÈS

Moi? Rompre un charme?... Non.

LE DISCIPLE

Quand je dis vous, c'était vous et point vous.
C'était un géant sec, d'une maigreur incroyable,
bien plus maigre que vous, et noir, noir comme un
charbon brillant. Et pourtant, je savais que c'était
vous.

MÉPHISTOPHÉLÈS

Le rêve est une mascarade. Il se peut que ce fût
là un costume de rigueur pour circuler dans le
carnaval de vos nocturnes libertés.

LE DISCIPLE

Mais je rêve peut-être encore... Qu'est-ce que je
fais ici? Et quelle heure est-il?

MÉPHISTOPHÉLÈS

Il est l'heure qu'il faut qu'il soit... L'Heure qu'il
faut qu'il soit pour que les choses qui doivent être
ensemble soient ensemble, et pour que les choses
qui furent ne s'amusent point avec celles qui
pourront être... Pourquoi je vous ai retenu sous ce
toit? J'ai mes raisons de penser que le Docteur a
quelque regret de l'accueil assez tempéré qu'il a fait
à un jeune enthousiaste venu de fort loin l'adorer.
Il ne serait pas fâché d'agrémenter un peu l'impression expéditive qu'il a pu vous donner de lui. Il a
parfois des reprises de grand homme... Et puis, j'ai
pensé (à tort ou à raison) qu'il vous intéresserait,

peut-être, bien dispose que vous me semblez être à
sourire aux grâces de la vie, de faire la connaissance
d'une jeune personne qui s'ennuie, qui, sans doute,
a ses songes comme vous avez les vôtres, qui est
ravissante, et qui est enfin la secrétaire du Docteur.

LE DISCIPLE

La secrétaire du Docteur?... Comment? Ce n'est
pas vous... Vous êtes, peut-être, le père de cette
Demoiselle, et vous songez à la caser?

MÉPHISTOPHÉLÈS

Moi? Je n'ai pas d'enfants, hélas...

LE DISCIPLE

Mais enfin, vous jouez ici un certain rôle... A qui
ai-je l'honneur de parler?

MÉPHISTOPHÉLÈS

Au géant maigre et noir.

LE DISCIPLE

Allons! *(Il hausse les épaules.)*

MÉPHISTOPHÉLÈS

Qui je suis?... Vous ne le croiriez pas, si je vous
le disais... Alors, ce n'est pas la peine. Et puis, c'est
toujours tromper le monde que de se définir.

LE DISCIPLE

Sacrebleu, mais vous faites quelque chose, dans
la vie...

MÉPHISTOPHÉLÈS

Dans la vie?... *(Sourdement.)* Krèk, krèk...
Hum... j'y fais... un peu de tout, puisque je fais ce

que l'on veut. Vous entendez? CE QUE l'on veut...
Et je fais même que l'on veuille! Je suis Professeur
d'Existence. J'instruis à aimer ce que l'on aime, à
fuir ce que l'on n'aime pas. J'aide à vivre ceux qui
aiment à vivre, à en finir ceux qui en ont assez. Je
donne satisfaction. JE PROCURE... Voyez en moi
le plus discret de ces officieux, bons à tout faire,
que l'on prend, que l'on laisse, et que l'on compte
bien, succès ou non, payer finalement d'ingratitude,
sans le moindre remords... Au contraire!... Ils sont
toujours dans l'ombre ou la coulisse des ennuis que
l'on peut avoir, à portée du besoin, du désir ou du
désespoir.

LE DISCIPLE

A peu près comme l'arme du meurtre ou suicide
sous la main de l'homme aux abois.

MÉPHISTOPHÉLÈS

Quelle heureuse comparaison!

LE DISCIPLE

En somme, vous agissez par pur amour du genre
humain?

MÉPHISTOPHÉLÈS

J'en suis le seul ami. Non, rien ne m'est plus
cher que de faire à qui en veut tout le plaisir
possible. J'agrémente, je simplifie, j'amuse, j'exalte
ou j'orne la vie. En un mot : JE SERS.

LE DISCIPLE

Vous servez?... Quelqu'un jadis, un immense
Déchu cria contre le Ciel tout le contraire. Il hurla :
JE NE SERVIRAI PAS... C'était fier. Il était dur,
le bougre.

MÉPHISTOPHÉLÈS *(modestement)*

Ce fut en d'autres temps... Moi, je sers. Je sers, vous dis-je, à ce qu'on veut, en ce qu'on veut; et sur l'heure, sans bavardages, sans marchandages. Je ne fais aucune morale aux êtres que j'oblige... Bref, je fais du bien, et je fais le bien que je fais avec le plaisir même que l'on trouve généralement à faire le mal.

LE DISCIPLE

Diable!...

MÉPHISTOPHÉLÈS

Vous dites?

LE DISCIPLE

Je dis : Diable.

MÉPHISTOPHÉLÈS

C'est un appel?

LE DISCIPLE

C'est une manière de parler... C'est peut-être un certain regret, ma foi, qui m'échappe.

MÉPHISTOPHÉLÈS

Ah?

LE DISCIPLE

Mais oui. Satan n'est plus, qui était la complaisance même. On l'évoquait. Il accourait. On se vendait. Il vous comblait... Et puis, on s'empressait au bon mauvais moment de faire ce qu'il fallait pour lui tirer des griffes cette chère âme immortelle...

MÉPHISTOPHÉLÈS

Au voleur!... Canailles!... Ah! les sauvés, les gredins. Au Paradis! au Paradis, ces escrocs!...

LE DISCIPLE

Entre nous, n'est-ce pas ce qui court dans le peuple et dans la littérature au sujet de notre grand Faust?

MÉPHISTOPHÉLÈS

Moi, je ne suis sûr de rien. C'est une forte tête, savez-vous, le Docteur.

LE DISCIPLE

Enfin, il n'y a plus aujourd'hui ni âmes ni Diable, et je le trouve bien fâcheux. Il était si simple, si clair, si facile de vendre son âme à terme, et de la racheter, au plus bas, à la liquidation du corps.

MÉPHISTOPHÉLÈS

On peut toujours essayer... Je fais une hypothèse. Supposez que le fameux personnage en question ait encore une certaine existence... Hein? On ne sait jamais, hein?... Je suis des plus curieux de savoir ce que vous lui feriez la faveur de lui demander, hein?... *(Il s'incline, en marchand qui offre.)* Après tout, il ne vivait, comme tout le monde... comme les plus haut placés, eux-mêmes, que du crédit qu'on lui accordait... Allons, dites un peu, comme dans l'ancien temps, votre : SATAN À MOI, et faites vos souhaits... On verra bien.

LE DISCIPLE

Mes souhaits?... Que souhaiter?... Le choix n'est

pas immense. L'âme est si pauvre en objets de désir... Tenez, je compte sur mes doigts, et d'une seule main. Être fort. *(Tous deux comptent ensemble en ouvrant leurs doigts.)*

MÉPHISTOPHÉLÈS

UN.

LE DISCIPLE

Être beau.

MÉPHISTOPHÉLÈS

DEUX.

LE DISCIPLE

Être aimé.

MÉPHISTOPHÉLÈS

TROIS.

LE DISCIPLE

Être riche.

MÉPHISTOPHÉLÈS

QUATRE.

LE DISCIPLE

Être maître.

MÉPHISTOPHÉLÈS

CINQ! Cinq doigts... Voilà tout le jeu abattu.

LE DISCIPLE

Moins trois! dont je n'ai cure... Je me trouve solide. Je me vois assez beau garçon, et me ferai aimer.

MÉPHISTOPHÉLÈS

Prenez garde à l'amour...

LE DISCIPLE

Je m'en charge en personne. Non! Être aimé de
par le Diable, merci! Non, non, ce serait humiliant.

MÉPHISTOPHÉLÈS

Plus d'un, si je m'en crois, le trouverait fort bon.
Vous serez, quelque jour, moins difficile...

LE DISCIPLE

Non, Monsieur. Aux choses de l'amour, le
Diable n'entend rien. Il n'y voit que du feu...

MÉPHISTOPHÉLÈS

Un feu de joie.

LE DISCIPLE

Il n'y voit qu'un instant ardent où les gens se
jettent par deux, pour brûler dans une flambée,
comme des insectes; et il croit que c'est une fin que
l'on peut joindre par des cadeaux, des compliments,
des sucreries, des philtres... Quelle sotte simplicité!... Mais tous ces petits moyens communs et
connus ne font pas l'amour qu'il me faut... Je veux
du grand amour, moi, de celui qui vous porte le
sentiment de vivre à la puissance d'un chant, d'un
hymne sur la cime...

MÉPHISTOPHÉLÈS

Quoi?

LE DISCIPLE

Vous ne comprenez pas?

MÉPHISTOPHÉLÈS

Rien.

LE DISCIPLE

Vous n'êtes pas malin.

MÉPHISTOPHÉLÈS

Un peu, pourtant, dit-on...

LE DISCIPLE

Pas plus malin que le Malin lui-même... Vous
devez être aussi dans les affaires, vous?

MÉPHISTOPHÉLÈS

Des fois. Mais voyons : porter le sentiment de
vivre à la puissance d'un chant. Qu'est-ce que cela
peut bien vouloir dire?

LE DISCIPLE

Allez demander aux rossignols...

MÉPHISTOPHÉLÈS

Eh bien, laissons l'amour et les petits oiseaux...
Et l'argent?

LE DISCIPLE

Merci. Je sais ce qu'il vaut, mais je sais ce qu'il
coûte. C'est bien simple : Il vous supprime. Si
j'hérite demain, que fais-je, le jour même? J'imite.
Je me change aussitôt en avare, en prodigue, qui
sont deux types très usés de la comédie humaine.
J'achète hôtel, château, filles, chefs-d'œuvre bien
choisis, et par d'autres que moi... C'est qu'il n'y a
pas mille et une manières d'éliminer le trop de bien
qu'on a. On fait ce que font les autres, car on fait ce

que veut l'argent. On achète ce qui s'achète, et ce sont toujours les mêmes choses, les choses qui s'équivalent en deniers : un pur sang vaut une perle, qui vaut deux cocottes, qui valent, ce qu'elles valent, et ainsi de suite... Toute l'économie y passe : les choses, les gens, les caresses, les consciences...

MÉPHISTOPHÉLÈS

Tout. Tout. Tout.

LE DISCIPLE

Non, pas tout! Et puis, à peine riche, on change d'amis. Parfois, de nom, toujours d'humeur et d'âme... C'est rompre avec soi-même.

MÉPHISTOPHÉLÈS

Ha. Ha... J'y suis. Vous me plaisez, jeune homme... Jeune homme singulier qui voulez être vous, dans l'amour pur et le mépris de l'or... Par tous les diables, vous visez au plus haut... C'est l'orgueil qui vous tient, le Prince des Péchés... Ha ha... J'y suis... Il y a de l'unique en vous... L'Orgueil, l'Orgueil, le suprême péché, celui qui fixe le soleil et qui suborne toutes les vertus à son service. Il en fait ses catins. Il s'arme de tous les talents, veut toutes les épreuves; il sait se draper et mûrir dans une formidable modestie. Il fait les Saints, les Purs, les Héros, les Martyrs, qui sont des gens terribles... Ha ha, vous ne pouvez savoir combien je prise ce poison sans égal, qui enivre les forts... Si vous saviez... Si vous saviez... *(Un temps. Puis, les yeux fermés, et en scandant solennellement.)* Il précipite. Il fait tomber de haut... de si haut quelquefois... que cette chute trouve un trône dans l'Abîme... *(Un assez long silence.)* Que souhaitez-vous enfin?

LE DISCIPLE

Je voudrais être grand.

MÉPHISTOPHÉLÈS

En quoi? Et comme qui? Il y a mainte grandeur.

LE DISCIPLE

Comme... Faust.

MÉPHISTOPHÉLÈS

Comme Faust?... Mais ne voyez-vous pas comme il est triste et détaché?

LE DISCIPLE

Il le serait bien plus s'il avait quelque raison de l'être... Oui. Comme Faust. Dominer l'esprit par l'esprit... Par mon esprit.

MÉPHISTOPHÉLÈS

Pourquoi pas. Je vous aime.

LE DISCIPLE

Hélas!... C'est impossible.

MÉPHISTOPHÉLÈS

Impossible?... A vous tout seul, peut-être... Mais ne suis-je pas là, près de vous, presque en vous; et, plus large que le Docteur, cet avare, je soutiens. Je conseille. Je vous l'ai dit : JE SERS.

LE DISCIPLE

Des conseils... Peuh... Et la manière de s'en

servir, sur le paquet?... Et puis, il faudrait tant
savoir... Tout savoir... Savoir autant qu'homme du
monde... SAVOIR, POUVOIR, VOULOIR... Voilà la
triple clé.

MÉPHISTOPHÉLÈS

SAVOIR, d'abord?... SAVOIR?... Regardez-moi
ces murs. *(Le fond de la scène s'éclaire et s'approfon-
dit en très vaste salle de bibliothèque illuminée et
gorgée de livres.)* J'ai l'honneur de vous présenter
tout le fruit de l'esprit du genre humain.

LE DISCIPLE

Quelle masse écœurante!... On a tout dit...
Livres, livres!... Ô tombes littéraires!...

MÉPHISTOPHÉLÈS

De quoi ne plus jamais penser à penser...

LE DISCIPLE

Tous ces tomes en pénitence, le dos définitive-
ment tourné à la vie. Ils ont l'air d'avoir honte, de
se repentir d'avoir été écrits... Ce qu'il y a là
d'espoirs, de prétentions, de patience d'insecte et
de fureurs de fous!... Ce qu'il fallut d'illusions, de
désirs, de travail, de larcins, de hasards pour
accumuler ce sinistre trésor de certitudes ruinées,
de découvertes démodées, de beautés mortes et de
délires refroidis... Et combien de ces bouquins-là
furent-ils passionnément conçus, avec la folle ambi-
tion de faire oublier tous les autres!... Ainsi,
s'exhausse, de siècle en siècle, l'édifice monumental
de l'ILLISIBLE...

MÉPHISTOPHÉLÈS

Quelle oraison funèbre!...

LE DISCIPLE

Le silence éternel de ces volumes innombrables m'effraie.

MÉPHISTOPHÉLÈS

Allons... Ne soyez pas déjà si rabattu... Je suis là, près de vous. Tout près. Presque en vous. Presque vous...

LE DISCIPLE

Immense est ce charnier spirituel... Tous ces livres à vaincre... Tous ces morts à tuer...

MÉPHISTOPHÉLÈS

Bah... Ce sont des vaincus, tous ces vêtus de veau. Ils nourrissent le ver. Ils attendent le feu. Ce sont ici des choses périssables que les œuvres immortelles, qui subissent d'abord dans l'abandon l'épreuve de la mort lente. Tout change autour de ces paroles cristallisées qui ne changent pas, et la simple durée les fait insensiblement insipides, absurdes, naïves, incompréhensibles, — ou tout bonnement et tristement classiques.

LE DISCIPLE

Durer, ou ne pas durer, c'est là pourtant la question.

MÉPHISTOPHÉLÈS

Mon cher, il y a une manière de durer qui est une manière de ne pas durer. Tenez, voyez un peu par-là... Tous ces poètes.

LE DISCIPLE

Je vois fort bien leur dos.

the past

MÉPHISTOPHÉLÈS

Ils se taisent en chœur. A jamais.

LE DISCIPLE

A jamais?... Un Pindare, un Virgile?...

MÉPHISTOPHÉLÈS

A jamais! A jamais, vous dis-je! Ils sont de glorieux silences. Personne au monde ne sait plus chanter leurs chants, prendre leur voix. Tous vos savants n'en font que parodies.

LE DISCIPLE

Ils durent comme ils peuvent... Et tout ce mur là-bas?

MÉPHISTOPHÉLÈS

Ci-gît le Temps. Des conserves de temps. C'est là l'Histoire Universelle. Jeunesse, saluez! Voyez, aussi morts l'un que l'autre, le Héros et son Historien. Ici, le mensonge et la vérité se combinent, plus intimement que de la musique avec les paroles. Alexandre n'est pas moins imaginaire que Thésée, et Napoléon vaut Hercule, n'étant plus ni l'un ni l'autre que du papier noirci et ses effets sur des cervelles, où ce qui fut et ce qui ne fut pas vivent également le même jeu naïf...

LE DISCIPLE

Je suis pris de vertige. Tout se brouille à mes yeux qui croient voir le Passé en désordre... Un fumier de siècles, duquel s'élève à chaque instant la buée des regrets, des remords, des doutes, et les vapeurs des gloires qui se dissipent et des grandeurs qui se détendent. Je vois trop que toutes les parties sont perdues, mais que les défaites ne sont finalement ni moins indifférentes ni moins illustres que les victoires.

MÉPHISTOPHÉLÈS

Pourquoi pas? Les événements sont les bulles qui crèvent à la surface du mélange des choses humaines. On n'en peut tirer que des écritures, sur quoi les gens de bien brodent ce qui leur plaît... Ils fabriquent des causes... C'est tout en fils de soie... Mais regardez un peu de cet autre côté. C'est ici le coin d'ombre où sont les grosses araignées.

LE DISCIPLE *(il va déchiffrer des titres et noms)*

Héraclite. Œuvres complètes... Il n'y a que Faust pour avoir un Héraclite en dix volumes in-folio... Tiens! Descartes : Traité de l'Oraison de la Raison?... Bizarre... Leibniz... Mais c'est le coin des Philosophes...

MÉPHISTOPHÉLÈS

Eh oui... Des solitaires bavards. Ils combinent de cent façons une douzaine de mots, avec lesquels ils se flattent de composer ou d'expliquer toutes choses. C'est ainsi qu'ils suivent le conseil qui leur fut donné par un Sage de se faire semblables à des dieux...

LE DISCIPLE

Un Sage... sinueux.

MÉPHISTOPHÉLÈS

Le plus subtil des Sages... Ils n'ont pas compris qu'il s'agissait de bien autre chose que d'écrire, qui n'est qu'un moyen de tromper son impuissance... Il

leur suffit de s'entendre l'un l'autre juste assez pour
entretenir leur désaccord, qui est toute leur raison
d'être... Du reste, tout le jeu consiste à faire
semblant d'ignorer ce que l'on sait et de savoir ce
qu'on ignore... Tenez, il y a là quelques origines du
monde et de la vie... Au choix... Mais il y a mieux.
Il y a l'auguste collection.

LE DISCIPLE

De quoi?

MÉPHISTOPHÉLÈS

Ah! comment vous dire? Tous les livres sacrés,
de tous les temps et de tous les peuples... Chacun
décrète que tous les autres sont des fables... Mais,
par-derrière, dans l'ombre de l'ombre des saintes
vérités...

LE DISCIPLE

Ces livres noirs?

MÉPHISTOPHÉLÈS

Le seul savoir qui compte... C'est du savoir de
derrière les fagots... Ce sont les livres de magie...
Ouvrez-en donc quelqu'un.

LE DISCIPLE

C'est du fruit défendu. Vous me... tentez, je
crois?... Mais je me moque bien de toutes ces
sornettes.

MÉPHISTOPHÉLÈS

C'est du savoir obscur... Mais nous avons ici bien
d'autres choses. Vous pensez bien que l'arsenal du
Docteur contient toutes les armes. Un tas de

sciences. Je m'y noie... Géo ceci, géo cela, et des
métries, des nomies, des logies, des graphies, et des
stiques, et des tiques. Bref, de quoi nommer
toutes les plantes, toutes les bêtes, les coquilles, les
pierres, les astres, de quoi fabriquer des infinis et
des espaces à volonté, compter les gouttes de la
mer, prévoir qu'une pomme qui tombe ne reviendra
jamais toute seule sur l'arbre et démontrer que si
un serpent peut être le grand-père d'une poule, la
procession inverse n'est pas raisonnable du tout...
Et puis...

LE DISCIPLE

Assez, assez... A bas les livres!... Tous... Les
logies, les graphies, les nomies. Au diable, tout ce
fatras!...

MÉPHISTOPHÉLÈS

Inutile. Le diable n'en veut pas!

LE DISCIPLE

La tête me tourne devant l'amas de tous ces
excréments de l'esprit... Comment venir à bout
d'une montagne telle?... Je désespère. J'abandonne.
Je renonce.

MÉPHISTOPHÉLÈS

A moi la pose!... Je suis là. Je suis là, vous dis-je.
Près de vous. Tout près de vous. Presque en vous.

LE DISCIPLE

Vous avez lu tout cela?

MÉPHISTOPHÉLÈS

Moi? Je ne sais pas lire.

LE DISCIPLE

A votre âge?

MÉPHISTOPHÉLÈS

De mon temps, on ne savait pas lire. On devinait.
Donc, on savait tout. D'ailleurs, j'ai trouvé person-
nellement grand profit à remplacer la connaissance
des bouquins par la pénétration intime de leurs
auteurs. Tous ces scribes ont leurs secrètes visées,
leurs limites intimes, leurs cachotteries, leur mauvaise conscience, et leur doute imminent sur le
mystère de leur propre valeur... C'est un fameux
raccourci que je vous recommande...

LE DISCIPLE

Non, non... Je chancelle sous le poids de tous ces
autres qui ont voulu ce que JE VEUX..., et qui ont
pu...

MÉPHISTOPHÉLÈS

Mais non! Mais non! Je suis avec vous... Presque
en vous. Écoutez-moi. Je suis votre sincérité, et je
la pénètre et l'enrichis de mon expérience. Écoutez-
moi... Tous ces autres ne sont plus rien. Ce n'est ici
qu'une foule d'ombres vaines, et vous seul bien
vivant... Vous êtes l'instant même; et debout sur
vos pieds, du haut de votre chair en fleur, de votre
tête en pleine force, vous bravez tout cela...
Quarante siècles d'écritures vous envient. Courage,
sentez-vous le Prince de ce jour! Rien ne peut
prévaloir contre la puissance de négation, de mépris
et de vierge énergie d'orgueil qui s'élèvent dans le
cœur d'un jeune ambitieux qui n'a rien fait encore.
Quelle force que de n'avoir rien fait!... Vous savez

bien qu'il n'est rien de si beau que ce qui n'existe
pas. Ha, ha!... Vous le sentez, hein?... Et qu'il n'est
d'ouvrage si excellent qu'il ne montre bien vite à
l'œil aigu de la jalousie assez de vices, de trous et de
faiblesses pour ne pas désespérer à jamais un
amateur tout neuf de renommée... Écoutez-moi :
tout ce passé, avec ses merveilles usées, frustes et
tristes, est sans défense contre l'entreprise de gloire
d'une intelligence en mouvement...

LE DISCIPLE

Je crois bien que vous... me tentez...

MÉPHISTOPHÉLÈS

Pourquoi pas?

> (Pendant toute la fin de la scène, Méphisto-
> phélès, de réplique en réplique, fait des bonds
> de chat sauvage autour du Disciple.)

LE DISCIPLE, à part.

Cet être me donne envie de fuir ou de l'étran-
gler... (Haut.) Dites, n'est-ce point ici... ou comme
ici... que Faust a déclamé des mots fameux que tout
le monde sait par cœur? (Il déclame.)

> J'ai donc, hélas, Philosophie,
> Médecine, Jurisprudence,
> Et, par malheur, Théologie,
> Approfondies, avec ardent effort?...

MÉPHISTOPHÉLÈS

Mais il ne tient qu'à vous que ce soit ici même.

LE DISCIPLE

Vous connaissez la suite?

MÉPHISTOPHÉLÈS

La suite?... Ha ha... Mais la suite... Ce pourrait bien être... vous et moi?...

LE DISCIPLE

Quoi? Vous et moi? Moi et vous?

MÉPHISTOPHÉLÈS

Ne voulez-vous pas être comme Faust? Dominer l'esprit par l'esprit? Il s'agit seulement de savoir quel esprit et quel esprit, et de ces esprits, quel est celui qui domine et quel est celui qui est dominé.

LE DISCIPLE

Oui... Excusez-moi. Je commence à croire... Je crois même de plus en plus que vous vous divertissez à me mystifier... Vous me tenez des propos où je trouve des prétentions exorbitantes, où ne manquent point des ambiguïtés et des ténèbres. Vous me faites des promesses qui seraient inquiétantes pour votre raison ou pour la mienne si j'y voyais autre chose qu'une forme de plaisanterie qui se développe à mes dépens, et se prolonge... Enfin, Monsieur, j'en suis encore à ne pas savoir à qui j'ai l'honneur de parler... Comment vous nommez-vous?

MÉPHISTOPHÉLÈS

Ma foi... Je n'en sais rien. Ce sont les autres, cher Monsieur, qui nous donnent un nom. On n'a pas de nom pour soi-même, hein? Comment je me nomme? Mais je ne me nomme point. On me nomme comme l'on veut. Je suis, je vous l'ai dit, le Serviteur des Serviteurs d'Eux-mêmes, et les gens donnent à leurs valets le nom qui leur convient. Chacun de ceux qui m'interpellent me hèle à sa façon.

LE DISCIPLE

Et si je vous appelais SATAN, puisque nous jouons Faust?

MÉPHISTOPHÉLÈS

Va pour SATAN... A vos ordres!...

> (L'ombre gigantesque du Diable se projette sur les murs.)

LE DISCIPLE

Tu es le Diable!...

MÉPHISTOPHÉLÈS

Vous êtes bien lent à comprendre, mon jeune ami!...

> (Méphistophélès disparaît ; l'ombre demeure quelque peu de temps sur le fond.)

MÉPHISTOPHÉLÈS (d'une voix qui vient des dessous avec des échos)

Au revoir!... Voir, voir, voir...

> (Le Disciple jette un gros livre vers l'ombre qui s'évanouit. L'éclairage s'affaiblit. La scène reprend son aspect du début de l'acte.)

SCÈNE SIXIÈME

LE DISCIPLE SEUL *(il va et vient. Agitation intense)*

Fous le camp, sale diable!... Va à toi-même!
Emporte-toi toi-même!... Quelle maison!... Tous
aliénés... Et je venais chercher ici les suprêmes avis
de la sagesse... La maison même est folle. Ici, le
sommeil est délices; la veille, cauchemar...

(Il s'assied.)

SCÈNE SEPTIÈME

LE DISCIPLE, LUST *(qui entre, avec sa lampe
et quelques livres qu'elle va replacer sur les rayons)*

LE DISCIPLE *(se lève et s'incline)*

Mademoiselle...

LUST

Vous êtes encore là? Seul?

LE DISCIPLE

Dieu merci!... Mais sait-on jamais si l'on est
seul...

LUST

C'est une affaire de sentiment. *(Un silence.)*

LE DISCIPLE

Vous cherchez peut-être un livre, Mademoiselle?... N'y touchez pas... Prenez garde à l'esprit.

LUST

Ce n'est pas l'esprit que je crains... Je venais seulement remettre ces deux ou trois poètes à leur place. (*Elle regarde un temps le Disciple.*) Vous feriez bien d'aller vous reposer, Monsieur. Il est très tard.

LE DISCIPLE

Il est l'heure qu'il faut qu'il soit...

LUST

L'heure qu'il faut qu'il soit?...

LE DISCIPLE

L'heure qu'il faut qu'il soit pour que les êtres qui doivent être ensemble soient ensemble... Et c'est pourquoi quelque chose vous a fait revenir ici.

LUST

Il est très tard, Monsieur... Il est trop tard.

LE DISCIPLE

Ayez pitié de moi, Mademoiselle... J'ai trop de choses à vous dire...

LUST

A moi?

LE DISCIPLE

— A vous... A qui donc puis-je me confier? Ma tête se perd, et il n'y a que vous, ici, la seule

créature humaine, ici; une présence de vie, une
personne vraie... et douce, dans cette maison où je
n'ai vu que des monstres depuis que j'y suis entré...
Votre Faust m'a glacé. J'arrivais plein de foi. J'ai
trouvé un regard, une voix...

LUST

Son regard est magique. Plus vaste que tout ce
qu'on peut voir...

LE DISCIPLE

Mais moi, ce regard me changeait en chose, me
réduisait à l'état de spécimen sans valeur d'humanité quelconque, un animal parlant... Moi, qui lui
apportais mon cœur...

LUST

Si vous le connaissiez... Le mieux connaître,
c'est bien comprendre qu'on ne peut pas le juger.
Il est si grand... Il faut bien qu'un esprit si profond, si complet, les nôtres ne puissent rien lui
apprendre, rien lui donner...

LE DISCIPLE

Évidemment... Mais je vous dis que je lui
apportais ma foi, mon espérance, mon désir pas-
sionné de lui faire sentir tout ce que son génie avait
créé de beau dans un jeune homme... Après tout,
n'étais-je pas une œuvre, moi aussi, une de ses
œuvres?... Mais cet homme n'est plus capable du
moindre sentiment...

LUST

Lui!... Mais... Si vous le connaissiez!... Mais la
substance de nos sentiments est en lui devenue

lumière. Lui!... Mais les sentiments de cet être
extraordinaire (j'en suis sûre, moi, bien sûre), ils
sont d'un ton tellement plus relevé que les sentiments communs... Quand on forme certaines pensées, et qu'on vit dans l'intimité à la fois du néant
et du total des choses... Mais, Monsieur, il a sa
bonté supérieure..., et sa tendresse... à lui

LE DISCIPLE

Lui?...

LUST

Oui, j'en suis sûre, bien sûre! Sa tendresse!...
Oui. Mais tendresse mystérieuse qui émane d'une
intelligence admirable, dont elle est comme le parfum. Elle peut paraître étrange. S'il vous a semblé
froid, éloigné, comme absent, c'est qu'il y avait
quelque raison qu'il le fût, quelque idée majeure
en tête... Mais comment voulez-vous que cet être
d'univers soit incomplet, qu'il n'ait pas ses larmes
à lui, et son abandon singulier?

LE DISCIPLE

Soit. Comme vous le connaissez bien!... Mais
l'Autre!...

LUST

Le Monstre! Ah! Monsieur, je vous ai vu tantôt
en son pouvoir!... Vous dormiez sous sa main, et
j'ai tremblé pour vous.

LE DISCIPLE

Pour moi?... C'est vrai?... Vous avez vraiment
tremblé pour moi!... Humaine que vous êtes...
Seule humaine, entre tous ces monstres et leurs

autres mondes qui font peur, et qui ne sont que
notre peur... Car j'ai fini par avoir peur...

LUST

C'est là tout ce qu'il peut faire, le monstre.

LE DISCIPLE

Oui... il m'amusa d'abord. Il me cajolait, m'enjô-
lait. Il jouait avec la souris. Et puis, un malaise est
venu... J'ai ressenti l'horreur d'une puissance épou-
vantable. Il m'a tout promis et tout abîmé : tout
offert et tout ravalé... Il me montrait tous ces
livres... Ah! Assez, assez de l'esprit!...

LUST

Jamais assez.

LE DISCIPLE

Il me proposait tout... Mais, parmi tous ces biens
qu'il prétendait me procurer si je l'écoutais, il en
est un qui me semble à présent le seul...

LUST

Le seul? Quel est ce bien des biens?

LE DISCIPLE

C'est un bien que je vois.

LUST

Que voyez-vous ici?

LE DISCIPLE

Je vous vois.

LUST

Non. Vous rêvez encore.

LE DISCIPLE

Je rêve et je veille. Je veille et je rêve. Je vois ce que je veux et je veux ce que je vois. N'est-ce pas un accord inouï?... Vous m'entendez, Mademoiselle? Un accord inouï... Si je ferme ou que j'ouvre les yeux, vous êtes là, vous-même et vous, vous et vous-même... Vous m'entendez?

LUST

Moi?... C'est étrange... Mais vous ne me connaissez point. Voici que vous m'apercevez tout juste.

LE DISCIPLE

Mais aussitôt, je vous connais si pleinement que je puis en deux mots vous peindre tout entière.

LUST

Vous êtes prompt, Monsieur... Un coup d'œil vous suffit pour pénétrer les êtres...

LE DISCIPLE

Non les autres!... Qu'ai-je à faire des autres!... Mais vous!... Vous!... Vous m'êtes transparente.

LUST *(elle rit)*

Encore!... Transparente?... Pour vous aussi. Eh bien, dites un peu... Que lisez-vous en moi?...

LE DISCIPLE

Mademoiselle, que je viens à peine de voir, Mademoiselle, que je viens à peine d'entendre, de qui je ne sais même pas le nom, ni rien...

LUST

Je m'appelle Lust.

LE DISCIPLE

LUST... Quel nom charmant!... Lust, Lust!... Que j'aime ce nom doux!... Lust, ô Lust, je vous le dis, comme je le sens si fortement, vous êtes...

LUST

Prenez garde...

LE DISCIPLE

Je dis, je vois, je sens que vous êtes... simplement... tout le contraire de cet être ignoble, venimeux, abominable, qui me tint tout ce soir en proie à ses propos empoisonnés.

LUST

Moi?... Le contraire de... Quelle idée!...

LE DISCIPLE

Oui. Exactement tout le contraire.

LUST

Mais... je ne suis pas un ange...

LE DISCIPLE

Je l'espère bien. Les anges n'ont point de forme, ni ces yeux, ni cette voix... Et ils n'ont point ce cœur qui a battu de crainte et de pitié pour le dormeur inconnu... Mais vous... Regardez-moi. *(Un temps.)* Écoutez-moi bien; mademoiselle Lust, ceci est grave : je vous assure et je m'assure que je ne pourrai plus jamais penser qu'à vous... Jamais... qu'à vous.

LUST *(comme à soi-même)*

Voilà bien les conseils du Monstre...

LE DISCIPLE

Oh, Mademoiselle, Mademoiselle... Vous qui seule pouvez effacer de mon esprit le souvenir infâme, vous me dites cela...

LUST

Pardon... Mais que vous soufflerait-il, le Monstre, qui nous perde tous deux?

LE DISCIPLE

Vous me dites cela... Mais songez... Ayez pitié de moi, comme vous avez eu pitié tantôt... Songez à cette affreuse journée que je viens de vivre, à ce que j'ai souffert... Ce Faust qui m'a déçu, blessé, remis à rien... Et l'autre qui me prenait l'âme dans ses ruses et manœuvrait toutes mes raisons de vivre. Mais vous. Vous la seule raison, vous, la vie; vous, l'humaine; vous, ma semblable, ma sœur, mieux qu'une sœur. *(Il veut prendre les mains de Lust, qui le repousse doucement.)*

LUST

Prenez garde à l'amour, Monsieur.

LE DISCIPLE

Non. Je n'y prends pas garde et je me laisse aimer, vous aimer...

LUST

Prenons garde à l'amour...

LE DISCIPLE

Vous le dites aussi... Mais ce beau nom d'amour

est un chant sur vos lèvres. Il exalte mon être à la
puissance d'un chant.

LUST

Oui, prenons garde... Je sais trop ce qu'il est,
l'amour. C'est un bien qui fait mal... Très mal...

LE DISCIPLE

Vous le savez... Vous aimez donc quelqu'un?

LUST

Je ne sais pas... Allez vous reposer, Monsieur.
Moi je meurs de fatigue. (*Elle va pour sortir.*)

LE DISCIPLE

Vous partez?... Ah! croyez-vous que j'aille dormir, après ces trois rencontres d'aujourd'hui... Mais
celle-ci m'achève... (*Il s'assied, comme accablé.*)

LUST

Mon ami, écoutez. Mon ami d'un seul soir,
écoutez... Je ne pense pas que nous soyons faits l'un
pour l'autre. J'en suis sûre... Il vaut mieux que je
vous le dise, n'est-ce pas? Je vous trouve si vrai, si
simple, si franc que votre pureté me gagne, et
parle... Croyez que je suis... assez émue... Oui, vous
voyez tout en moi, à votre complaisance, mais c'est
ne voir que vous... Vous me dites humaine, et si je
vous répondais qu'il y a quelque chose en moi qui
m'est obscur, et que rien, rien d'humain ne
pourrait satisfaire... Vous ne me déplaisez pas... Ne
bougez pas... S'il n'y eût au monde que ce que le
monde offre à tout le monde... Vraiment, je
voudrais être celle qui pourrait vous répondre...
tout autrement que je ne fais... Vous trouverez

bientôt quelqu'un... Sûrement... Perdez doucement
tout espoir ici... Votre peine me peine... *(Il se prend
le visage.)* Tu as du chagrin, mon ami...

LE DISCIPLE

Et vous me dites TU...

LUST

C'est pour vous dire adieu... *(Elle sort vivement.)*

LE DISCIPLE

Vous me rendez au diable!...

RIDEAU

ACTE QUATRIÈME
ET DERNIER

Manque.

Du IVe acte de *Lust* et du IIIe acte du *Solitaire*,
il n'existe que des fragments, dont certains ont paru
dans les *Œuvres* de Paul Valéry, présentés par Jean
Hytier (Gallimard, édition de la Pléiade, tome II,
p. 1412-1415), et d'autres dans le *Cahier Paul
Valéry n° 2 : « Mes Théâtres »* (Gallimard, 1977,
p. 51-88), présentés par Ned Bastet.

LE SOLITAIRE

OU LES MALÉDICTIONS D'UNIVERS

Féerie dramatique

ACTE PREMIER

Un lieu très haut. Autant d'étoiles au ciel que sur un cliché de la Voie Lactée. Roches, neige, glaciers.

Au lever du rideau, le Solitaire, presque invisible, couché à plat ventre sur une roche plate.

On voit, après un temps, Faust, puis Méphistophélès, serrés dans leurs manteaux, paraître, comme parvenus au terme d'une très pénible ascension.

SCÈNE PREMIÈRE

LE SOLITAIRE,
FAUST, MÉPHISTOPHÉLÈS

FAUST

Courage! Nous y sommes.

MÉPHISTOPHÉLÈS

Merci. Tu y es... Moi, jamais. Je n'irai pas plus loin. Quel froid féroce, ici!

FAUST

Il n'y a pas de plus loin, ni de plus haut. Tu frissonnes?

MÉPHISTOPHÉLÈS

L'altitude. Pas l'air.

FAUST

On est à peu près au ciel. Pour moi, tous les climats se valent. Il n'est ni chaud ni froid quand on pense toujours à autre chose. Alors, va... Nous nous retrouverons.

MÉPHISTOPHÉLÈS

Je l'aime mieux ainsi... J'ai le mal des sommets. Pourquoi m'as-tu entraîné vers le haut?

FAUST

Tu n'as pas encore compris qu'il n'y a ni haut, ni bas... Eh bien, va-t'en!

MÉPHISTOPHÉLÈS

Va-t'en Satan! Toi aussi, tu m'envoies du Retro par le visage! Merci. Soit. Je te quitte... Mais prends garde : ici, peut-être expire, et tout ce que tu sais, et tout ce que je puis.

FAUST

C'est-à-dire, fort peu de chose... Nous nous retrouverons.

MÉPHISTOPHÉLÈS

Toujours... Je t'attends au plus bas... *(Il disparaît. Sa voix ou l'écho répète :* AU PLUS BAS... PLUS BAS... PLUS BAS... *sur plusieurs tons descendants.)*

L'ABÎME

SCÈNE DEUXIÈME

FAUST, LE SOLITAIRE

FAUST

Le vertige m'est inconnu. Interdit, peut-être?...
Je puis regarder le fond d'un abîme avec curiosité.
Mais, en général, avec indifférence. Cependant, ici,
sur ce toit du monde, je ressens une ombre de
malaise... Ce n'est point la hauteur, ni l'espèce de
succion qu'exercent la profondeur abrupte et son
vide qui me troublent. C'est un tout autre vide qui
agit sur un tout autre sens... La solitude essentielle,
l'extrême de la raréfaction des êtres... Personne,
d'abord; et puis, moins que personne. Pas un brin
d'herbe, une mousse. La nature terrestre, à bout de
forces, s'arrête épuisée un peu plus bas. Ce n'est
plus ici que pierre, neige, un peu d'air, l'âme et les
astres. Quatre ou cinq mots suffisent à tout dire de
ce lieu très haut. Que ce peu dise tout, c'est bien un
signe d'univers. Il y a énormément de rien dans le
Tout... Le reste? Une pincée de poussière semée...
Et la vie? Une trace insensible sur un grain de cette
poudre. Mais cette trace même est encore démesu-
rée pour ce qu'elle contient d'esprit. Pourquoi suis-
je monté jusqu'à ce point critique? Le sais-je?
L'idée d'atteindre un lieu de notre monde où l'on
peut mettre tout juste le bout du nez hors de ce qui
existe... Au-dessous de moi fourmille cet étrange
désordre d'espèces qui s'obstinent à vivre dans la
croûte si mince de débris et de scories qui
enveloppe notre terre... Rien qui vive au-dessus;

rien qui vive plus bas... Et cela pullule, se dissout dans le temps, se remplace... Et parfois, cela pense. Le plus étrange est que l'effort de ce qui pense dans cette couche infime est entièrement appliqué à masquer ou à nier sa condition la plus évidente d'existence : cette lame mince! La vie ne pourrait-elle subsister que dans l'ignorance de ce qu'elle est?... Ici, le langage s'embrouille et la philosophie prend la parole...

LE SOLITAIRE *(se dresse et hurle un long cri modulé)*

Ha... ha... ha... ha...

FAUST

Quoi?... La solitude hurle?... Le silence éternel voudrait-il en finir avec lui-même?

LE SOLITAIRE

Ha... a... *(Longue émission de voix modulée ; puis, psalmodiant.)* Ho, ho, la Nuit... Je hurlerai, hurlerai à la Nuit... Je lui dirai ma vérité, toute ma vérité... Ho... ho... Écoute un peu.

Nuit admirable, abîme d'heures, tu n'es rien...
J'insulte l'ombre et ses horloges...
Bête comme la foule, ô nuit !...
Nuit, nombres, sac de grains, semences vaines !
Avec tes siècles et tes lampes... tu n'es rien... Rien, rien, rien.

FAUST

Celui-ci est sans doute une des curiosités du pays... Mais ce hurleur est assez effrayant.

LE SOLITAIRE

Le firmament chante ce que l'on veut...
A l'un parle de Dieu

A l'autre oppose un froid silence.
La panique devant zéro... Le rien fait peur... Ho... Ho...
Et il en est qui s'émerveillent,
Qui s'éblouissent de milliards en chiffres sur papier...
Ho... Ho... Haute vermine des étoiles...
Astres entre lesquels la lumière s'échange,
Elle n'est qu'entre vous! Vous n'êtes, pauvres Cieux,
Qu'un peu d'étonnement des hommes, poudre aux yeux!
Mon petit œil s'offre cet univers,
Un œil suffit à la gloire infinie...
Je le ferme et deviens la force qui vous nie... Ho, Ho...
Nuit admirable, effroi des sages, Mère vierge
De phrases nobles et de tables de grands nombres,
O rotation de rotations de rotations,
Qui nous infliges le supplice
De tes mornes répétitions,
Nuit admirable, abime d'heures, tu n'es rien!
Rien, rien, rien, rien!

FAUST *(s'avance vers le Solitaire)*

Pardon, Monsieur...

LE SOLITAIRE

Une ordure? Va-t'en!

FAUST

Pardon, Monsieur, je me suis égaré dans ces montagnes...

LE SOLITAIRE

Que tu ne me plais pas!

FAUST

Que vous ai-je donc fait?

LE SOLITAIRE

Tu es.

FAUST

Oui, je crois...

LE SOLITAIRE

Donc, va-t'en. Tu es. Tu souilles. Va.

FAUST

Et vous... n'êtes donc pas?

LE SOLITAIRE

Non. Dès qu'il n'y a que moi, il n'y a personne.
Va, ou je te jette en bas. Va, ou au précipice!

FAUST *(en état de défense)*

Monsieur, pardon... Il se pourrait, Monsieur,
que votre précipice eût l'embarras du choix.

LE SOLITAIRE

Tu vois bien qu'il n'y a point ici de place pour
deux! Si l'on est deux, ce n'est plus une solitude.

FAUST

C'est trop juste.

LE SOLITAIRE

Qu'est-ce que tu viens faire ici? Il n'y a ni blé, ni
or, ni garces. Il n'y a rien. Le rien s'ajuste au seul,
et seulement au seul.

FAUST

Ils sont faits l'un pour l'autre.

LE SOLITAIRE

Alors va-t'en puisque je suis seul, et je suis seul
comme on est chien ou singe ou vache. Je suis seul
de l'espèce, seul, et le seul à être seul.

FAUST

Croyez-vous? Mais, mon cher monsieur SEUL, tout le monde en est là. Je ne conçois quelqu'un qui ne soit seul... comme... son corps. Quand vous souffrez, en quelque part, avec qui donc vous trouvez-vous de compagnie? Et quand vous jouissez? Et la pensée, n'est-elle pas la solitude même et son écho?

LE SOLITAIRE

Alors... Alors, c'est tout le contraire? Et je suis le seul à ne pas être seul... Que parles-tu de seul? Je suis LÉGION.

FAUST

C'est beaucoup! Où sont-ils?

LE SOLITAIRE

On ne peut dire qu'ILS sont plusieurs... ILS sont UN et UN et UN, et ainsi et ainsi, qui ne s'additionnent pas... ILS sont si merveilleusement et justement différents l'un de l'autre, quoiqu'ILS SE composent en parfaites harmonies qu'il est impossible de LES dénombrer. S'ILS vont s'unir, c'est un autre aussitôt que cela forme. Chacun est le plus beau de tous. Chacun est un présage, un souvenir, un signe... et non un être. Il y en a un qui est le sourire de l'autre; et un, qui est la présence de l'autre; et l'un, son regard, et l'un, son acte; et l'un, même, l'un surtout, son absence. Et l'amour de l'un pour l'autre en est un, qui se distingue et se dégage tendrement de l'un et de l'autre; et ainsi et ainsi... Et tout ceci est comme une création de mon esprit, et n'est pas une création de mon esprit.

FAUST

Vous croyez? Et pourquoi non?

LE SOLITAIRE

Tu es bête. Parce que je n'ai pas d'esprit. Quand
ils sont là, comment veux-tu?... Que pourrait être
mon esprit quand ILS sont là?

FAUST *(à part)*

Il est rigoureusement fou... Au fond, bien pire
que le diable. Ce fou est beaucoup plus avancé.

LE SOLITAIRE

Pour quoi faire, l'esprit? A quoi te sert ton esprit?
A être bête. Qui n'a pas d'esprit n'est pas bête. Le
parfait n'a pas d'esprit. Si le cœur avait de l'esprit,
on serait morts. Dès qu'il se ressent de l'esprit, le
cœur est en peine; il pâtit, il se serre ou il se hâte; il
doit se défendre. Contre quoi? Contre l'esprit. Si la
nature, cette imbécile, a dû nous inventer un peu
d'esprit, c'est qu'elle n'a pas su donner au corps de
quoi se tirer tout seul d'affaire en toutes conjonc-
tures, sans bavardage intime et sans réflexion.

FAUST

C'est clair. De sorte que, si la Nature avait eu
beaucoup plus d'esprit, elle eût fait l'économie de
ce peu qu'elle nous donna.

LE SOLITAIRE

Ho ho... On dirait que tu commences à comprendre... Moi aussi, j'ai été très intelligent... Moi
aussi, j'ai cru longtemps que l'esprit, cela était au-
dessus de tout. Mais j'ai observé que le mien me
servait à fort peu de chose, il n'avait presque point

d'emploi dans ma vie même. Toutes mes connaissances, mes raisonnements, mes clartés, mes curiosités ne jouaient qu'un rôle, ou nul, ou déplorable, dans les décisions ou dans les actions qui m'importaient le plus... Toute chose importante affecte, déprime ou supprime la pensée; et c'est même à quoi l'on en reconnaît l'importance... Penser, penser...! La pensée gâte le plaisir et exaspère la peine. Chose grave, la douleur quelquefois donne de l'esprit. Comment veux-tu qu'un produit de la douleur ne soit pas un produit de dégradation et de désordre. Penser?... Non, ni l'amour ni la nourriture n'en sont rendus plus faciles et plus agréables. Qu'est-ce donc qu'une intelligence qui n'entre pas dans ces grandes actions? Au contraire! La délectation des caresses et des succulences est gâchée, corrompue, hâtée, infectée par les idées... Moi aussi, j'étais très intelligent. J'étais plus intelligent qu'il ne faut l'être pour adorer l'idole Esprit. Le mien (qui cependant était assez bon) ne m'offrait que la fermentation fatigante de ses activités malignes. Le travail perpétuel de ce qui invente, se divise, se reprend, se démène dans l'étroite enceinte de chaque moment ne fait qu'engendrer les désirs insensés, les hypothèses vaines, les problèmes absurdes, les regrets inutiles, les craintes imaginaires... Et que veux-tu qu'il fasse d'autre?... Regarde un peu là-haut... Hein? Le beau ciel, le célèbre ciel étoilé au-dessus des têtes! Regarde et songe! Songe, Minime Ordure, à tout ce que cette grenaille et ces poussières ont semé de sottises dans les cervelles; à tout ce qu'elles ont fait imaginer, déclamer, supposer, chanter et calculer par notre genre humain... Oui, Ordure, le ciel et la mort ont rendu les hommes pensants plus stupides que mes pourceaux.

FAUST

Vous avez donc aussi des pourceaux?...

LE SOLITAIRE

Je vis de mes pourceaux parmi mes anges.

FAUST

Où sont-ils donc?

LE SOLITAIRE

Mes pourceaux? Ils sont plus bas. Dans une
étable, à mille pieds plus bas.

FAUST

On pourrait vous les voler.

LE SOLITAIRE

Mes pourceaux?... Ho ho... Il n'y a que le diable
qui pourrait s'y prendre, et encore... Ho ho... Ils
sont des pourceaux enchantés, sais-tu?... Un lot
choisi : les uns descendent en droite ligne des
meilleurs sujets de la porcherie de Circé, la
magicienne; les autres... Ha ha... les autres, ils
proviennent de ces fameux pourceaux, qui furent
une fois rudement pourchassés et poussés à la mer,
pleins d'esprits.

FAUST

Oui. D'esprits très actifs. Prenez garde : il y a
encore, par-ci, par-là, plusieurs des plus malins qui
cherchent asile...

LE SOLITAIRE

Que si tu as le dessein de m'inquiéter, tu perds
tes mots. D'ailleurs, je fais là-bas très bonne

garde... Ce qui fut mon esprit à moi est dans l'un de ces porcs, et il ne souffrirait pas qu'un autre lui envahisse ou lui dérobe sa belle et grasse truie.

FAUST

Vous lui laissez l'amour?

LE SOLITAIRE

Sans doute. Puisque c'est un esprit... La prostitution est donc son affaire, étant le principe même de l'esprit. A qui, à quoi ne se livre-t-il pas, l'esprit? La moindre mouche le débauche. Il s'accouple à tout ce qui vient, et l'abondance de ses produits ne témoigne que de son infâme facilité. Il offre, il s'offre, se pare, se mire, s'expose; et parfois, met son mérite dans la nudité de son exhibition... Et le langage donc, son principal agent! Qu'est-ce donc que ce langage qui introduit en nous n'importe qui, et qui nous introduit en qui que ce soit? Un proxénète.

FAUST

Mais... Mais les créations par le verbe, les chefs-d'œuvres, les chants très purs, les vérités de diamant, les architectures de la déduction, les lumières de la parole.

LE SOLITAIRE

Holà!... Tu es bête. Faut-il te remontrer que tout ouvrage de l'esprit n'est qu'une excrétion par quoi il se délivre à sa manière de ses excès d'orgueil, de désespoir, de convoitise ou d'ennui? Ou bien de sa curiosité inquiète, ou de la vanité qui le pousse à se feindre les vertus qu'il n'a pas : la rigueur, la pureté, la certitude, la domination de soi-même?

S'il expulse d'admirables formations, c'est qu'il ne
peut les souffrir en lui, et qu'elles sont intolérables
à sa vraie nature, de sorte qu'il en use, à l'égard des
clartés, des beautés et des vérités comme la chair
vivante expulse le corps étranger qui a pénétré, ou
qui s'est composé en elle. Voilà ce que j'ai compris
quand j'étais une ordure, et qui m'a conduit sur
cette hauteur sacrée, où j'ai enfin trouvé... ce qu'on
y trouve...

FAUST

Ici?... Qu'y trouve-t-on, que de la glace et vous?

LE SOLITAIRE

Si la parole pouvait le communiquer, ce serait
peu de chose. Tout ce qui peut se dire est nul. Tu
sais bien ce que font les humains de tout ce qui
peut s'exprimer. Tu le sais. Ils en font une vile
monnaie, un instrument d'erreur, un moyen de
séduction, de domination, d'exploitation. Mais rien
de pur, rien de substantiel, rien de précieux et de
réel n'est transmissible. La réalité est absolument
incommunicable. Elle est ce qui ne ressemble à
rien, que rien ne représente, que rien n'explique, qui
ne signifie rien, qui n'a ni durée, ni place dans un
monde ou dans un ordre quelconque, — car une
durée, une place sont données à une chose par
d'autres qui lui sont étrangères, et l'ordre exige que
ce qui semble lui être soumis ne soit que le fait
d'une présence et d'un pouvoir qui lui sont
indifférents et extérieurs... Regarde donc encore ce
désordre du ciel... Les parcours de ces petits feux
engendrent l'idée d'un ordre. Les hommes n'en
sont pas encore revenus!... Mais la figure de ces
trajets est l'acte de quelqu'un qui note leurs

éléments, et les élabore, et qui construit une forme au moyen de positions qui s'excluent. L'astre ne peut être ici et là; mais la figure le fait voir en tous points de son mouvement. Et donc, qui a mis l'ordre? Le désir. Mais ce n'est là qu'une affaire entre celui qui voit et qui veut, et ce qu'il voit.

FAUST

Cette affaire pourtant marche assez bien. Les prévisions sont miraculeusement...

LE SOLITAIRE

Miracle, toi-même! La prévision, Ordure, est un accord entre une idée, une attente et un événement complice ou plein de complaisance. Cela n'a aucune importance.... pour moi. Tu prévois bien d'un coup d'œil quantité de choses qui se réalisent. D'un coup d'œil, tu prévois que tel bond te fera franchir tel fossé, et que tel mouvement de ton bras mettra ton verre à ta bouche. Tous les vivants font de tels prodiges. Ils en sont faits. La vie est en perpétuelle prévision. Et après? quoi de plus banal que les prodiges? Tu vois comme ils sont prodigués et dilapidés par la nature; ils lui coûtent si peu que toute leur valeur doit se réduire à vos étonnements. L'esprit s'excite encore sur ces merveilles d'un sou, et c'est là ce qui m'a convaincu de sa faiblesse. Je dis : merveilles d'un sou; j'exagère. Compte combien de fourmis au monde, et tu verras que tu serais volé si tu les payais un sou pièce, ces merveilles! Holà... Vos esprits sont bien naïfs encore, et le demeureront tant qu'ils demeureront sensibles à ces effets de miracle, tant que l'extrême grandeur ou la petitesse extrême, les machines de la vie, les frapperont de stupeur, tant que la manie de l'explication, la soif des mystères seront en eux, combinés avec leurs instincts de jouissance, de lucre, de stupre, de puissance et de sécurité.

FAUST

Ce sermon est trop dur... Plus je vous entends, plus me semble ce lieu très haut, si haut... que ma raison y trouve l'air trop rare, et se sent défaillir en moi.

LE SOLITAIRE

Va, je ne t'ai rien dit, que tu n'eusses pu tirer de toi-même, si tu n'étais ordure et imbécillité. Va, rentre aux égouts! Allons, vite! Que si tu demeurais un rien de plus, tu serais saisi par le mal des montagnes. Mes Amis vont venir... Va! Retombe, suis ton poids, Monsieur-je-ne-sais-qui...

FAUST

Je vous quitte à regret. Mais il vaut vraiment mieux que vous demeuriez rigoureusement seul. Adieu... (A part.) Je voudrais vraiment voir la suite de ce fou. (Il fait semblant de descendre et se dissimule derrière un rocher.)

LE SOLITAIRE (fait des gestes d'exécration, puis se met à plat ventre, se relève, et se met à vociférer, les bras étendus)

A moi Splendeurs du pur, à moi, peuple superbe,
Puissances de l'instant, Sainte diversité!
Venez! Hautes Vertus, sourires sans visages;
Sonnez, Voix sans parole et Parole sans voix,
Riez, Rires du rien, ce rire est le total du compte,
Riez, la nuit n'est rien, le jour n'est rien,
Mais VOUS!
Troupe sans nombre et non pas innombrable,

Vol d'une jouissance et voluptés sans chair,
Forces sans formes, puissances sans prodiges,
Exterminez mystère, énigmes et miracles,
Vous qui m'avez guéri du nombre des soleils,
Des stupeurs devant l'ombre et devant les abeilles,
De l'éblouissement du mirage Infini...
Mes grands amis sans corps ni âmes,
Mieux que des séraphins, mieux que des concubines,
Qui me gardez contre mon corps, contre mon âme,
Contre le temps, contre le sexe et le sommeil,
Contre la vie et le désir et le regret,
Contre tout ce qui fut et tout ce qui peut être,
Contre ce qui connaît et contre ce qui sent ;
Contre moi-même, que je hais comme une épouse,
Et contre toute mort qui ne soit pas Quelqu'un de Vous.
Oh... Passez en moi, Vents superbes !
Couchez en moi toutes les herbes,
Rompez les ronces du savoir,
Foulez les fleurs de ma pensée,
Broyez les roses de mon cœur,
Et tout ce qui n'est pas digne de ne pas être !
Je veux que l'air glacé que vous soufflez me lave
D'une faute commise avant que rien ne fût !
Hâtez-vous, hâtez-moi !
Il est l'heure, il est temps que je me change en loup !
                    Ah... aâ... â...

(*Il pousse un grand cri et se jette à plat ventre.*)

FAUST

Oh !... Et dire qu'il y a des hommes au monde
qui peuvent se prendre pour quelque chose... Quel
monstre de bon sens que ce terrible individu !
J'ignorais jusqu'à lui qu'il pût exister une espèce
au delà de la démence... C'est une découverte. Et
il est vraiment pire que le diable. Il est tout autre
chose... Que peuvent être ces amis indescriptibles
qu'il invoquait ? Mais quelle bise ! Je suis ivre de

froid. Ce sont eux qui passent, sans doute. Je me
sens la cervelle saisie et toute un bloc de glace. *(Il
se dispose à descendre. Le Solitaire qui l'a entendu
marcher, se lève, court à lui et lui saute à la gorge.)*

LE SOLITAIRE

Ordure! Il était là!

FAUST

Mais je m'en vais... *(Ils s'accrochent. Lutte
désespérée. Faust est précipité dans l'abîme. Bruit de
chute.)*

LE SOLITAIRE

Va... Tombe comme une ordure... Ah ah... Au
loup! au loup! Ah!

RIDEAU

INTERMÈDE

LES FÉES

*On voit se dégager de l'obscurité un intérieur qui
tient de la grotte à prismes basaltiques, du palais
fantastique et de la futaie. D'énormes troncs et leurs
ramures multipliées, qui retiennent dans leurs mailles
noueuses les masses cristallines, forment un système
d'architecture fermé, qui s'éclaire peu à peu d'une
lumière argentée.*

Au lever du rideau, Faust est étendu évanoui sur son bloc recouvert d'un tapis d'une richesse étrange, qui s'étale largement sur le sol.

Les petites Fées sont autour de lui, groupées et rangées, prêtes à commencer leur ronde. Les deux grandes Fées sont auprès de lui. L'une lui tient la main, l'autre est penchée sur son visage.

FAUST, PRIME ET SECONDE FÉES,
LES PETITES FÉES

LES PETITES FÉES *(très rythmé, presque chanté)*

PREMIER GROUPE

Si je lui gratte
Le bout du nez
C'est une mouche
Dans son esprit !
Si je lui touche
Un coin de bouche
S'il me sourit,
Il vit, il vit !

SECOND GROUPE

Il remue le petit doigt,
Pince-le, fais-le souffrir
Et les yeux vont se rouvrir
Et la langue revenir ;
Tout vaut mieux que de mourir !

PREMIER GROUPE

Maintes mailles à reprendre,
L'âme ne s'en ira pas !
Tout s'arrange et se reprise,
La chair comme une chemise,
Baise-le pour ses beaux yeux,
Il ira de mieux en mieux !

(La seconde Fée se penche sur Faust et le baise longuement sur la bouche.)

SECOND GROUPE

Tout s'arrange et se reprise,
S'il n'est pas de temps perdu,
Et s'il reste un peu de flamme,
Tout va bien pour vous, Madame,
Le baiser sera rendu.

(Faust se soulève un peu et, comme en songe, ou les yeux fermés, rend le baiser.)

PREMIER GROUPE

Il a le baiser rendu!
Il est sauf, il a mordu
Derechef à l'hameçon!
Voyez-moi ce beau frisson,
Madame, Madame!
Le pantin n'est pas brisé,
Il a rendu le baiser,
Madame!

SECOND GROUPE

Si la mort cède
Au souvenir,
Si ton remède
Le fait frémir,
Tout va renaître
D'entre les morts,
L'âme et son maître
L'âme et son corps.

TOUTES LES FÉES *(prestissimo, très rythmé)*

Tout ce qu'il put,
Tout ce qu'il sut,
Tout ce qu'il fit,
Tout ce qu'il vit,

Si je le veux,
Pas un cheveu
Ne manquera!...

(Toutes les Fées vont se loger dans le décor.
La lumière s'exténue très sensiblement. Faust
se démène, se redresse en se palpant le corps.)

FAUST

Non?... Ou oui?... Mort? Mort ou vif?... Oui?
Ou non?

LES FÉES *(en sourdine)*

Oui, oui, oui...

FAUST

Il semble qu'il y aurait une majorité confuse
pour le Oui... Il y a du Oui dans l'air... Alors la
chose serait encore remise; la mort non assurée. A
moins que... la mort ne soit précisément ceci? C'est
possible, puisque je n'en ai pas l'expérience. Le
choix demeure. Mais à qui de choisir? Mais... Est-
ce que je souffre? Tout est là. C'est la seule et
positive question : Souffrir, ne pas souffrir. Tout le
reste est philosophie. Du luxe. Je me sens quelque
chose par là; et par ici. Un peu dans la tête; et
assez dans les reins. Bon... Ce mal est plutôt signe
de bon. Signe de vie. Bon. Si vivre est bon...
Debout! On n'y voit pas clair, ici. Mais je n'y vois
pas davantage en arrière : le passé est aussi absent
que le présent. Je me trouve des débris de pensée,
des esquilles dans une plaie de l'entendement. La
tête a souffert. Mais de quoi? Je suis sûr, si sûr que
c'en est étrange, qu'il a dû se passer quelque
chose... avant ceci. Ce qui s'est passé a dû se
fracasser je ne sais comment. C'est drôle que la

pensée puisse être mise en morceaux. Des morceaux de pensée, et brouillés ensemble... J'ai dans
la tête plusieurs jeux battus et mêlés... En somme,
je pourrais bien tirer au sort qui je suis ou plutôt
qui je fus... C'est la même chose. Après tout, je ne
suis que la personne qui parle... Mais qui parle à
qui?... Il y a pourtant une vérité et une seule. Mais
où est-elle? Voilà une fameuse question... Je me
penche sur mon vide. Je crie dans ce puits...
Surgissez, Vérité! J'espère, je crois fermement que
vous existez et êtes unique... Rien. Toujours ces
lambeaux d'esprit dans un chaos actuel. Ma vérité
se démêle bien lentement de ce hachis, hachis,
hachis... J'ai peut-être mangé hier soir quelque
chose de lourd? Hier? Quoi, hier? Connais pas. Si
un juge m'interrogeait... Je serais fort embarrassé
s'il me fallait mentir en ce moment... Attendons...
Je compte bien qu'un peu de temps, — c'est un
onguent magique que la durée, qui cicatrise tant de
blessures!... Oui, un peu de temps doit me refaire
un vrai passé, un passé convenable, correct, décem-
ment historique; avec une perspective, des écri-
teaux, des numéros et quelques monuments ou
événements de mes divers âges. Patience. Cela se
fait. C'est la moindre des choses. Tout le monde a
un passé. Affaire d'imagination, en somme... Oui,
mais il me faudrait d'abord un NOM... C'est
indispensable. En général, on a un nom. On n'y
pense jamais entre soi-même. Mais, dans ce cas
particulier, j'ai besoin d'un nom.

LA PRIME FÉE *(qui s'est avancée derrière lui, souffle)*

Faust!

FAUST

Faust? Faust... Pourquoi pas? Ce mot me vient.
C'est un nom. C'est une bonne idée. Je sais enfin
quelque chose : qu'il y a eu un certain Faust. Et
ceci insinue que c'est peut-être moi Faust, —
qu'il y a des chances en faveur de moi pour être
Faust, et pour l'être de plus en plus. Je tends vers
Faust. Faust... Faust? Mais c'est un nom très
connu. Des tas d'histoires... Bon. Si je suis Faust,
j'ai donc un passé défini... Et en dernier lieu, il a dû
arriver quelque mauvaise affaire à... Faust.

LA SECONDE FÉE *(lui souffle)*

Le Fou, le Seul, là-haut...

FAUST

Ah, ah!... Le Fou, le Seul, le Loup... Oh, merci,
ma mémoire de moi ou mémoire de Faust? Tu es
ma mère, Mémoire! Tu m'enfantes... J'hérite enfin
d'un lopin du passé. Et maintenant quelque lueur
de catastrophe se précise. Oui, le Fou d'En-Haut; il
était fort comme la mort, ce monstre! Il m'a
poussé. Il criait. J'ai glissé, roulé... Il s'était entouré
de précipices. Je dois être au fond de l'un d'eux.
Donc, mort. C'est logique. Mort? Oui... Oui. Mais
le baiser? Il y a eu le baiser. Très bon. Très frais.
Très... puissant baiser. Il est là, encore. Le baiser
vint avant le Fou. Naturellement. C'est logique. Je
n'ai pas pu être baisé au vol, tout en roulant du
haut du Fou... Ah, voilà un bon morceau de vérité
pure. Bien reconstitué. Avec chronologie, logique,
tout le passé armé. Je sors enfin de ma préhistoire...
Bon. Mais passons à présent de la vérité à la réalité.
La réalité, c'est d'abord la question. Où?... Que
voilà une bonne question! Où l'on est? Le Pour-

quoi, le Comment, on verra plus tard. Mais, mort
ou vivant, je suis en quelque lieu, venant de
quelque lieu. Où?... Or, je n'y vois presque goutte.
Si c'est ici l'abîme de la mort, la mort est trop mal
éclairée... *(La lumière se fait, dorée.)* Lumière, ô
lumière... Tu te décides enfin à t'occuper de moi...
Mémoire et lumière, l'humanité faustienne fait des
progrès immenses : le passé, le présent, tout lui
vient, tout s'éclaire. Mes yeux ont soif de choses.
Cette noble clarté leur est douce comme l'eau
pure. C'est beau ici. Qu'est-ce que c'est? Caverne?
Temple? Non. Forêt? Non... C'est au fond de la
mer... C'est absurde. Il n'y a point d'eau. Temple
vivant? Forêt pétrifiée?... La nature parfois
s'amuse à faire l'artiste, à faire croire qu'elle peut
travailler avec des mains, d'après une idée... Et les
hommes, parfois, avec leurs pattes et leurs plans,
essaient de façonner dans l'espace d'une vie, ce
qu'elle met des mille et mille siècles à produire sans
l'ombre de pensée. Cela crée de graves malenten-
dus... Mais, peut-être, y a-t-il des choses qui ne
sont filles ni de la nature, ni de l'action... Rien ne
prouve qu'il ne puisse exister que deux modes de
fabrication et que deux fabriques... Or, si... Ho
ho... Il me semble que tu raisonnes... Je raisonne.
Donc...

LA PRIME FÉE *(sur deux notes)*

Faust, Faust!

FAUST

Faust? C'est moi, je crois?... C'est moi qui pense
et moi qui suis. Voilà une vérité générale. Et,
comme application particulière hypothétique, —
qui suis peut-être Faust... Qui est là?

LES PRIME ET SECONDE FÉES *(ensemble)*

Faust, Faust! *(Elles s'approchent de lui.)*

FAUST

Oh!... Qu'elles sont jolies! Que vous êtes aimables! Venez beaucoup plus près, je suis déjà moins mort, Dames inattendues! Un certain goût de vivre apparaît avec vous

LES DEUX FÉES *(ensemble)*

Faust, Faust...

FAUST

Vous me connaissez donc jusqu'à me reconnaître? Où suis-je parmi vous? De quel nom vous nommer, VOUS qui savez mon nom?

LA PRIME FÉE

Je t'ai connu enfant.

FAUST

Toi, Jeune Fille? Non.

LA PRIME FÉE

Je t'ai connu enfant. Je t'ai connu à l'heure
Où l'enfant que le songe effleure
Sur sa nourrice aux gros genoux,
Entre les ombres et la Fable,
S'abandonne à l'Homme du Sable,
Et tes nuits ne voyaient que nous...
Les chars de feu qui nous transportent,
Les dragons d'or qui nous escortent,
Les dons que nous faisons,
Les sorts que nous jetons
Du bout de nos longues baguettes,

Les serpents savants qui nous tettent
Et s'enroulent sur nos fuseaux,
Les robes de souris et les plumes d'oiseaux,
Les hardes de pauvresse ou les chapeaux de roses,
Et les traines d'apothéoses
Brocart couleur du jour, pourpre intense de Tyr
      Que nous savons vite vêtir...

FAUST

Je suis sûr que je dors, si je crois mes oreilles.

LA PRIME FÉE

Non, ce n'est point dormir : les merveilles éveillent.
L'ordinaire des jours n'est qu'un demi-sommeil
Où la simple machine humaine
      Se répète ce que ramène
      De monotone et de pareil
      Chaque pas que fait le soleil.
Que seriez-vous sans la surprise ?
L'esprit ne brille qu'il ne brise
La ressemblance du passé...

FAUST

Mon enfance est lointaine...

LA PRIME FÉE

Elle n'a point cessé.

FAUST

Mais j'ai plus que vécu, surmonté mainte crise,
Consumé tous les biens, tous les espoirs perdu,
      Mêlé le vice et la vertu...

LA PRIME FÉE

Ce qui fut n'est plus rien. Tu n'as jamais vécu.
Sache du souvenir rompre le fil de soie
Et des temps accomplis cesse d'être la proie.

Tout ce qui pouvait être est remis à notre art :
  Il n'est de peine ni de joie
  Ni de faveur qui vînt trop tard
Que nous ne puissions pas rendre prématurée.
L'art subtil de mes sœurs, Tisseuses du Hasard,
Sait dénouer les nœuds qu'a formés la durée
Et reprendre au passé ce qu'il a pris pour part.
Le regret, le remords ne sont point sans ressources,
Et le plus doux des sens se ravive à la source.

FAUST

Dans quel enchantement... Où donc suis-je tombé?

LA PRIME FÉE

Dans un abîme tel, tel autre eût succombé.
Mais tous ne sont pas toi... Mais il est des abîmes
Où la Fortune guette et comble ses victimes.

FAUST

Je suis comblé de Vous, Belles qui m'avez pris,
  Et fîtes par un sortilège
Du fond d'un précipice un abîme sans prix
Dont je dois craindre ou le songe ou le piège.

LA SECONDE FÉE

Faust qui devais périr, il n'est rien de fatal
Qui ne le cède à quelque charme.
Comme l'amour fait d'une larme
  Un pur poème de cristal,
Je puis de tes dégoûts fondre une âme nouvelle,
Moi qui fis de ta chute une grâce du sort.
Si je ne fus, tu devais être mort :
Tu m'appartiens si je te le révèle.
Je t'ai donné le baiser du retour
A la lumière : (à demi-voix) et t'ai senti le rendre
Sans le savoir, comme le rend l'amour
Qui dort encore, et qui rêve en plein jour
De ce qui fut aux ténèbres si tendre.

Tu n'offrais déjà plus qu'un visage de cendre,
Ame ivre de néant sur les rives du rien,
Ta chair et toi n'aviez qu'un souffle pour lien...
Je vins baiser ta bouche sans défense.

FAUST

O Fille, ô Fée, et la baisas si bien
Que j'ai dû rendre un baiser pour le tien
Sans le savoir, comme le rend l'enfance...
Mais enfin, j'ai repris la force d'être Moi.

LA SECONDE FÉE

Qui, Toi?... Tu le connais, celui que tu peux être?
Lui seul existe ici... Tu n'es plus... que ton maître!
Ordonne qu'on te change en plus heureux que toi,
Un Faust, dont les excès n'auront fait que l'instruire...
　　　Veux-tu redevenir et reparaître roi,
Roi du temps, roi des cœurs, fait pour vaincre et séduire?

FAUST

Quels trônes à mes yeux tes beaux regards font luire!
Mais, MUSE que j'écoute et GRÂCE que je vois,
Il me suffit d'entendre une si pure voix,
　　　Si transparente et si profonde,
Où ta promesse luit comme un joyau sous l'onde,
Pour qu'au moins à l'égal de ton secret savoir
Rien que cette douceur soit pleine de pouvoir.
Ta lèvre impérieuse est d'une charmeresse
De qui le baiser parle et le discours caresse,
Et je sens, malgré moi, me rendre ambitieux
La tendre autorité de ton corps précieux.
Mais chacun de tes mots, qui sont des pierreries
Idéales, riant sur le seuil le plus beau,
Irritent dans mon cœur de vieilles rêveries...
Non, mes lauriers sont morts, mes roses sont flétries,
Tout ce que j'ai voulu, je l'ai mis au tombeau,
Et tu viens dans cette ombre agiter ton flambeau!
O mes sombres trésors, mes enfers, ma mémoire,

Dois-je reprendre terre et rehausser ma gloire,
Revivre, dur et sûr, sachant ce que je sais,
Revivre, et non plus vivre un désordre d'essais,
Mais, cette fois, plonger une âme tout armée,
Une puissance vierge, et de tout informée,
Au cœur même du monde... Et de mes fières mains,
Vaincre l'homme et la femme, et tous les dieux humains...

LA SECONDE FÉE

Oui, tout ce qu'un mortel peut souhaiter d'extrême,
Tout ce que doit se peindre un amant de soi-même
Quand il brûle d'atteindre à toute sa grandeur,
Tout devant toi palpite, et l'or, et la pudeur
Des plus pures, et l'âme informe de la foule
Qui, sous le pied d'airain du héros qui la foule,
Prodigue un vin de gloire, épais comme du sang !
Parle... Un mot... Même pas... Ton silence consent ?

FAUST

Mon silence interroge : il attend qu'on m'instruise.
Je ne suis point de ceux que la faveur séduise
Et qui ferment les yeux quand pleuvent les bienfaits.

LA SECONDE FÉE

Je te veux tant de bien que je te satisfais.
C'est là mon premier don. Captives que nous sommes
D'un sort qui nous défend des tendresses des hommes,
Il nous plaît de tromper le mal dont nous souffrons
Par ces présents de fée effeuillés sur leurs fronts.
L'incorruptible honneur d'une chair enchantée
Nous refusant l'émoi de toute chair tentée,
Trop heureuses sans joie, indignes de périr,
Nos grâces comblent ceux que nous pensons chérir.
Mes charmes t'ont prouvé leur étrange énergie :
Que si tu veux me croire et te fier à moi
        (Car il n'est d'art ni de magie
        Qui ne demande quelque foi),
Je te retrouverai dans tes forces perdues

Celles qu'aveuglément ta vie a confondues.
Je sais rendre au plomb vil la lueur de l'or pur,
Je reconnais l'enfant dans le visage dur,
Et la limpidité des premières années
Parmi la profondeur des amères pensées.
Je défais, fil à fil, la trame des vieux jours ;
De tes pas inquiets je remonte le cours,
Et je vois naître en toi la désobéissance.
Le temps cède à mes doigts ce que tu crus tenir
Quand la soif du savoir et la concupiscence
Firent de toi celui qu'il fallut devenir.
Je songe avec tendresse à ton adolescence.
Tes yeux, qu'ont assombris tant d'âpres actions,
Tes traits qu'ont tourmentés toutes les passions
Ne m'abolissent point la grâce du jeune être.
J'y distingue celui que tu pourrais renaître,
Faust, si tu veux me croire et te fier à moi.
Veux-tu redevenir et reparaître en roi ?

FAUST

Si tu sais tout de moi, tu ne sais qu'une fable.
Le véritable vrai n'est jamais qu'ineffable :
Ce que l'on peut conter ne compte que fort peu !
Le joueur garde au cœur le secret de son jeu,
Mais la perte et le gain lui sont des passes vaines :
Il ne sait que le feu qui lui court dans les veines :
Sa violente vie est le seul bien qu'il veut,
Lui qui ne voit d'objet qu'il ne jette à ce feu !...
Tu m'as rendu le souffle et crois que je soupire
Après tous ces trésors, et les cœurs et l'empire,
Et que j'espère au monde un suprême plaisir...
Mais mon esprit superbe a défait le désir.
Si ce qui fut ne fut qu'une absurde dépense,
Ce que soit l'avenir m'importe encore moins.
Crois-tu que mon orgueil veuille pour récompense
          Prendre les hommes pour témoins,
Remonter sur leur scène et fortement revivre
          A la lumière de leurs yeux,

Moi, toujours plus rebelle à ce qui les enivre,
Moi, que n'ont pu gagner ni l'Enfer ni les Cieux,
Ni fondre la tiédeur des corps délicieux ?
Je ne hais pas en moi cette immense amertume
De n'avoir pu trouver le feu qui me consume,
Et de tous les espoirs je me sens délié
Comme de ce passé dont j'ai tout oublié,
Mes crimes, mes ferveurs, mes vertus étouffées,
Mes triomphes de chair de tant de vils trophées
Que le monde a livrés à mes démons divers...
Non, non... N'égarez point vos complaisances, Fées...
Si grands soient les pouvoirs que l'on m'a découverts,
Ils ne me rendront pas le goût de l'Univers.
Le souci ne m'est point de quelque autre aventure,
Moi qui sus l'ange vaincre et le démon trahir,
J'en sais trop pour aimer, j'en sais trop pour haïr,
Et je suis excédé d'être une créature.

LA SECONDE FÉE

Hélas !... Nous ne pouvons enfin que t'obéir...

LA PRIME FÉE

Que si nous disposons de toute la nature
C'est esclaves de mots pour nous mystérieux :
Qui les possède règne et commande à nos jeux.
La Parole a pouvoir sur la Métamorphose,
Tu devrais le savoir, toi qui sais toute chose.

FAUST

Sais-je l'un de ces mots ?

LA SECONDE FÉE

Tu ne sais que nier.

LA PRIME FÉE

Ton premier mot fut NON...

LA SECONDE FÉE

Qui sera le dernier.

RIDEAU

ŒUVRES DE PAUL VALÉRY

Aux Éditions Gallimard

LA JEUNE PARQUE (1917).

INTRODUCTION À LA MÉTHODE DE LÉONARD DE VINCI (1919).

CHARMES (1922).

EUPALINOS OU L'ARCHITECTE, L'ÂME ET LA DANSE, DIALOGUE DE L'ARBRE (1944).

VARIÉTÉ (1924).

VARIÉTÉ II (1929).

VARIÉTÉ III (1936).

VARIÉTÉ IV (1938).

VARIÉTÉ V (1944).

DISCOURS DE RÉCEPTION À L'ACADÉMIE FRANÇAISE (1927).

MORCEAUX CHOISIS (1930).

RÉPONSE AU DISCOURS DE RÉCEPTION À L'ACADÉMIE FRANÇAISE DE M. LE MARÉCHAL PÉTAIN (1931).

L'IDÉE FIXE (1932).

DISCOURS EN L'HONNEUR DE GOETHE (1932).

SÉMIRAMIS (1934).

PIÈCES SUR L'ART, édition revue et augmentée (1936).

Préface à l'ANTHOLOGIE DES POÈTES DE LA N.R.F. (1936).

DEGAS DANSE DESSIN (1938).

DISCOURS AUX CHIRURGIENS (1938).

MÉLANGE (1941).

TEL QUEL I (Choses tues, Moralités, Ébauches de Pensées, Littérature, Cahier B 1910) (1941).

TEL QUEL II (Rhumbs, Autres Rhumbs, Analecta, Suite) (1943).

POÉSIES, nouvelle édition revue et augmentée (1942).

MAUVAISES PENSÉES ET AUTRES (1942).

« MON FAUST » (1945).

REGARDS SUR LE MONDE ACTUEL et autres essais, nouvelle édition, revue et augmentée de fragments inédits (1946).

MONSIEUR TESTE, nouvelle édition augmentée de fragments inédits (1946).

L'ANGE (1946).

HISTOIRES BRISÉES (1950).

LETTRES À QUELQUES-UNS (1952).

TRADUCTION EN VERS DES BUCOLIQUES DE VIRGILE (1956).

LA JEUNE PARQUE, commentée par Alain (1936).

CHARMES, commentés par Alain (1928).

ŒUVRES COMPLÈTES (12 vol.) (1931-1950).

ANDRÉ GIDE-PAUL VALÉRY : CORRESPONDANCE 1890-1942, préface et notes par Robert Mallet.

PAUL VALÉRY-GUSTAVE FOURMENT : CORRESPONDANCE 1887-1933, introduction, notes et documents par Octave Nadal (1957).

ŒUVRES (Bibliothèque de la Pléiade), édition établie et annotée par Jean Hytier, avec une introduction biographique par Agathe Rouart-Valéry.

TOME I (1957). (Dernière réédition : 1980.)

TOME II (1960). (Dernière réédition : 1984.)

CAHIERS (Bibliothèque de la Pléiade), choix de textes établis, présentés et annotés par Judith Robinson-Valéry.

TOME I (1973).

TOME II (1974).

CAHIERS PAUL VALÉRY (publications de la Société Paul Valéry).

N° 1 : POÉTIQUE ET POÉSIE (1975).
N° 2 : « MES THÉÂTRES » (1977).
N° 3 : QUESTIONS DU RÊVE (1979).
N° 4 : CARTESIUS REDIVIVUS (1986).

LES PRINCIPES D'AN-ARCHIE PURE ET APPLIQUÉE, *postface de François Valéry* (1984).

CAHIERS 1894-1914, tome I. *Édition intégrale établie, présentée et annotée sous la co-responsabilité de Nicole Celeyrette-Piétri et Judith Robinson-Valéry* (collection blanche, 1987).

DANS LA COLLECTION FOLIO/ESSAIS

23 Maurice Duverger : *Introduction à la politique.*
24 Julia Kristeva : *Histoires d'amour.*
25 Gaston Bachelard : *La psychanalyse du feu.*
26 Ilya Prigogine et Isabelle Stengers : *La nouvelle alliance (Métamorphose de la science).*
27 Henri Laborit : *La nouvelle grille.*
28 Philippe Sollers : *Théorie des Exceptions.*
29 Julio Cortázar : *Entretiens avec Omar Prego.*
30 Sigmund Freud : *Métapsychologie.*
31 Annie Le Brun : *Les châteaux de la subversion.*
32 Friedrich Nietzsche : *La naissance de la tragédie.*
33 Raymond Aron : *Dix-huit leçons sur la société industrielle.*
34 Noël Burch : *Une praxis du cinéma.*
35 Jean Baudrillard : *La société de consommation (ses mythes, ses structures).*
36 Paul-Louis Mignon : *Le théâtre au XXᵉ siècle.*
37 Simone de Beauvoir : *Le deuxième sexe*, tome I *(Les faits et les mythes).*
38 Simone de Beauvoir : *Le deuxième sexe*, tome II *(L'expérience vécue).*
39 Henry Corbin : *Histoire de la philosophie islamique.*
40 Etiemble : *Confucius (Maître K'ong, de — 551 (?) à 1985).*
41 Albert Camus : *L'envers et l'endroit.*
42 George Steiner : *Dans le château de Barbe-Bleue (Notes pour une redéfinition de la culture).*
43 Régis Debray : *Le pouvoir intellectuel en France.*
44 Jean-Paul Aron : *Les modernes.*
45 Raymond Bellour : *Henri Michaux.*
46 C.G. Jung : *Dialectique du Moi et de l'inconscient.*
47 Jean-Paul Sartre : *L'imaginaire (Psychologie phénoménologique de l'imagination).*
48 Maurice Blanchot : *Le livre à venir.*
49 Claude Hagège : *L'homme de paroles (Contribution linguistique aux sciences humaines).*
50 Alvin Toffler : *Le choc du futur.*
51 Georges Dumézil : *Entretiens avec Didier Eribon.*
52 Antonin Artaud : *Les Tarahumaras.*

— Draw a line
— I was wrong to expect you to always do what I wanted to do.
— After O, may be feeling like need some time on your own - Go ahead.
— I won't read anything sinister into it.

Impression Bussière à Saint-Amand (Cher),
le 7 mars 1990.
Dépôt légal : mars 1990.
1ᵉʳ dépôt légal dans la collection : septembre 1988.
Numéro d'imprimeur : 625.
ISBN 2-07-032523-7./Imprimé en France.

48711